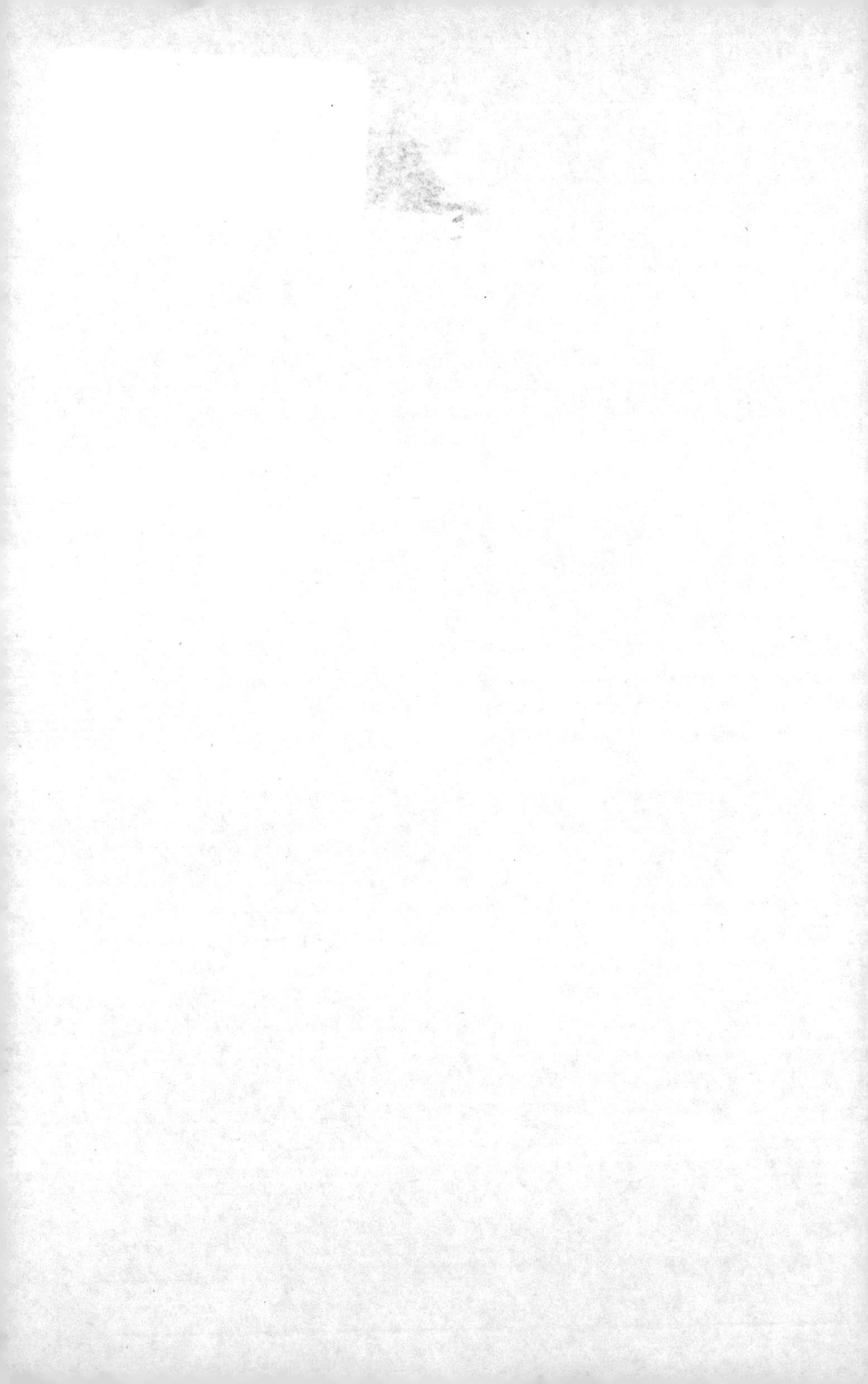

相片

杨秀学 著

上海文艺出版社
Shanghai Literature & Art Publishing House

图书在版编目（CIP）数据

相片 / 杨秀学著 . -- 上海 : 上海文艺出版社 , 2024

（黄河文丛 / 孙茂同 , 赵方新主编）

ISBN 978-7-5321-8947-2

Ⅰ.①窗… Ⅱ.①蒲… Ⅲ.①散文集 —中国—当代

Ⅳ.①I267

中国国家版本馆 CIP 数据核字 (2024) 第 009708 号

发 行 人 ： 毕　胜
策 划 人 ： 杨　婷
责任编辑 ： 李　平　程方洁　汤思怡　韩静雯
封面设计 ： 悟阅文化
图文制作 ： 悟阅文化

书　　名 ： 相片
作　　者 ： 杨秀学
出　　版 ： 上海世纪出版集团　上海文艺出版社
地　　址 ： 上海市闵行区号景路 159 弄 A 座 2 楼
发　　行 ： 上海文艺出版社发行中心发行
　　　　　　上海市闵行区号景路 159 弄 A 座 2 楼 206 室　201101　www.ewen.co
印　　刷 ： 成都市兴雅致印务有限责任公司
开　　本 ： 880×1230　1/32
印　　张 ： 84
字　　数 ： 2079 千
印　　次 ： 2024 年 1 月第 1 版　2024 年 1 月第 1 次印刷
I S B N ： 978-7-5321-8947-2
定　　价 ： 398.00 元（全 10 册）

告读者 ： 如发现本书有质量问题请与印刷厂质量科联系　T：028-83181689

《相片》序

潘年英

　　黔东南故乡老家的文学艺术界，我认识的人不多，能有往来的更是少之又少。半年前认识了一个爱写散文的杨秀学先生，却在政府部门上班。席间，他赠送我一册《村庄旧物》，我觉得写得很有意思。现在他又打算把近年来陆续写作和发表的一些文章结集出版，取书名为《相片》。《村庄旧物》集结的是关于乡下老家的那些旧物件的生活记忆，主题相对集中，而《相片》有些散，似乎什么样的题材都有，航八郎，有大杂烩的意思，但大体也还是在旧物的范围内。我发现，秀学先生是一个很喜欢回忆也善于回忆的人，同时，他对生活的观察相当仔细，他能够写出很多旧物的细节，比如《燕子》，他能讲出蛮多关于燕子的掌故来。又比如《走进榕江食谱》，他能把榕江的美食讲得头头是道。不仅是关于食物的种类，而且是各种食品的具体做法，也讲得很翔实清楚。我就想，我在榕江生活过三十多年，如果要我来写一篇《榕江食谱》，我恐怕无从下笔。这就看出秀学有一种特殊的能力，这能力概括起来讲就是博学。没错，秀学是博学的。我觉得他什么都懂。至少，他在写文章的时候，他对自己所写的内容是很讲究知识考据的。这样的写作好不好呢？当然好。这其实是中国文学的一个传统。中国过去的文人，差不多也都以善于考据和博学为荣。秀学能继承这一文脉，我以为是黔东南文艺界的一种荣耀，虽然他目前还并不置身其中。

《相片》像一部影集，收入他杂七杂八的"相片"，但杂而不乱，仍有规律可循。这规律就是对黔东南地方风物的书写和考据。我觉得在这一点上，他有点类似于一个本土的人类学家，在做着一种关于地方知识的考古工作。这也使我想起两次跟他见面的情景——话不多，酒却喝得很爽快——我承认，我很喜欢这样的人。一个博学而爽朗的人，是值得我们敬重的。一部处处洋溢着泥土气息的作品，也是值得我们期待的。

2023年9月10日于湘江河畔

简介：

潘年英，侗族，1963年生人，祖籍贵州，现居湘潭，中国作协会员，湖南科技大学人文学院教授，大学时代开始发表文学作品，曾在《山花》《花溪》《上海文学》《青年文学》《飞天》《民族文学》《天涯》等刊物发表小说散文作品，结集出版著作40多种，也有作品被翻译成法文和英文在国外出版，曾获中国作协庄重文文学奖，主要代表作有《木楼人家》《伤心篱笆》《故乡信札》《金花银花》《解梦花》《敲窗的鸟》《河畔老屋》等。

目录

附录：

品　茶

　　甲午年《杉乡文学》推出栏目"作家三人行"，三个才华横溢的本土作家就"柴米油盐酱醋茶"这些凡尘众生不可或缺的平常食物，用文学的笔触进行描绘，或感悟或体味或追忆，读后耳目一新。尤以"茶"篇甚为喜爱，三篇美文文采飞扬，各有侧重，各有千秋。各自于区区茶片中参悟出了独到的生活、生命、自然的真谛。多次伏案拜阅，启悟甚多。本人平生嗜茶，无日不缺，几乎成了唯一的饮品，然朝夕相伴，却从不去研习其背后还有那么多的味、品味。这似乎有些歉疚。读罢三篇美文，联想起自己在与茶结缘后也有不少趣事。

　　某年一个冰封大地的冬天中午，洗浴后来到客厅，头发尚湿，就叫女儿、儿子拿帕子来擦干。一双儿女颇是孝顺，争先恐后，突然儿女说：爸爸你有好多白头发！说者无意听者有心，刚过不惑就已鬓染霜雪，青春行将挥手告别，天伦之乐、脉脉温情中，却加载了一丝凉意。事业未曾长进，却迎来了缕缕银丝。尔后儿女快速成长，我的白发也全然不听使唤，兀自蓬勃地长起来。又过不久，无意间得益于茶的救赎，白发的疯长势头得到遏制。一次与朋友聚会，心情极佳，酩酊大醉而归，茶是平时醉后的醒酒汤，此次醉得有些过头，就加大了浓度，也就由此养成习惯。医学角度讲，酒后不宜喝茶，茶汁过浓有损肠道等，我却反其道而行。这常规的明显"叛逆"，却无意成就了一桩好，就是霜染的两鬓不再那么白得刺眼。至少好多年没有大肆蔓延的趋势。如此说来，茶对我不但有缘且有恩泽。

茶，早已走进了我的生活。童年时代，曾见证过于严肃、神秘、隆重的乡里习俗中，茶必不可少，比如春节、清明节祭祀先祖有之，农历七月半有之，婚丧嫁娶有之，居家待客用之。每年除夕年夜饭之前和新年旧岁更替的凌晨祭祀祖宗时，祭品中必有香茗一盏。祭社也是家乡常见的祭祀活动，立春后的第五个戊日，每年逢此，父母都要进行一定形式的祭祀，并有乡谚："一戊祭天地，二戊祭本身，三戊祭牛马，四戊阳春，五戊逢社，蛤蟆叫嘓嘓。"社即社神、土地神，到社日这天的祭祀相对隆重热闹，最主要的祭品就是社饭，用糯米、粳米各适量，薅菜碎细、腊肉切粒拌匀蒸熟即可。祭祀的场所一般在土地庙前或自家神龛、门庭前，摆上祭品（社饭、米酒、刀头、香茶）焚烧香纸，意味着万物复苏，春天的大幕已开启，要播种五谷，繁养六畜，祈盼皇天后土庇护一年风调雨顺。茶在祭祀中扮演着重要角色。

茶在家乡是生命启程的第一个结缘之物，家乡的每一个生命降临后，都会用洗净的茶叶洗涤婴儿口中的污物。女儿临世前夕，母亲生怕我不谙世事，从老家带着茶叶匆匆赶来，在女儿临世后，将两片鲜嫩的茶叶放入孩子嘴里含着。在家乡，为何要用茶而不是其他？因为茶作为祭祀先祖神灵苍天大地的物品，融进了天地人神，茶内蕴了元神、元气，有护佑新生命的无形之力。加之茶本身的药用功能，就荣膺接纳新生命的殊荣，寓意着茶叶去除残留的废气、通灵天地之意助推新生命易养成人。茶含于口中亦隐含着对家乡故土的眷恋与尊敬，希望初生的婴孩在今后成长的道路上能像茶树一样根植于大地，吸天地之灵气，聪慧有为，品性高洁。家乡还有不能在房前屋后以及阴宅坟茔周边栽种芭蕉的习俗，而茶树则很受欢迎，我家老屋后左侧和庭院上各有一蔸老茶树，为父亲亲手栽植。父亲通医理、晓八卦，这当中应该有其托志释老、以茶明志之意，也应该有其借助天人合一，企盼家人福康之愿。

浮华尘世，千变万化，茶叶这么一个洁雅之物不知何时被染濡上了俗气。人走茶凉，这是被强加于它的一大硬伤。任何事物的冷暖凉热全是自然之物变化的必然，茶却被如此对号入座，对此似有不平之愤。

人世间合久必分，分久必合，乃规律使然。春秋战国、三国两晋、五代十国、清末民初之分，秦汉、唐宋元明清之合，这些历史大势如此，个体到人又何尝不如此？人与人之聚之散正常无奇，人为了生存需各自在职场拼争，不可能朝夕相伴、金樽对月。人走了、分散了，尚未饮完的余茶自然会冷却下来。自然凉却的茶水还有什么好顾盼的？留守者倒掉就是。然当一个居要津、盘高位、把权杖者突然颓倒，那个"茶凉"就不一样了。刚刚捧着的那杯热气腾腾的茶会在瞬间界临冰点。有道是"三穷三富不到老，十磨九难未登头""三十年河东，四十年河西"。曾经的"不信但看筵中酒，杯杯相劝有钱人"顷刻转化为"树倒猢狲散"。茶作为一种炎凉世态的温馨提示又算得上是另一种侧面贡献吧。其实也不能完全责怪那些"猢狲"，在危急来临，希望渺渺或行即破灭之际，快速逃散是人的本能表现。不要说凡夫俗子了，就连一些有道高僧、社会贤达亦难做到镇定自若，难逃世俗的藩篱。相传苏东坡有次到一寺庙拜访一高僧，由于之前未曾谋面，待到见面后就发生了"茶，敬茶，敬香茶；坐，请坐，请上座"这样一则对联故事。在高僧大贤中尚流动着的这么些炎炎凉凉来告诉我们，得失要随意，冷暖要随缘。

茶有茶、香茶，茶是有品级、品味的，狭义上的茶仅茶而已，但经人的味蕾感觉后就有了高下、优劣之分了。品由三个口叠加，茶要经一个旷日持久的啜尝或茫茫大众的尝品，才又根据各自之喜好给出个自己的品级。其实，这个"品"本身就有丰富的释义，既是一种行为（如品尝、品评、品鉴），亦是一种物质（如优良品种、万般皆下品），还是一种精神、一种境界（品格、品行、品德、品质），茶有茶品，人有人品。不同人品的人有不同的茶品，不同茶品的人有不同的品茶行为。人们常说"酒品看人品"。酒醉后，醉态毕现，言行举止在酒精的作用下，直到原形毕露，加上酒后吐真言，是何品行一目了然，而茶品则隐藏得殊深，大多数品茶都是在清醒状态下进行，理智左右着人的思维定力。人的内心世界有严密的隐身，因之从茶品看人品往往会失之偏颇。有人对"酒肉朋友"一概嗤之以鼻，其实这类朋友有两种，一种是纯粹的酒肉关系，另一种是以好菜好酒为媒介、由头，一帮心照不宣者适时豪饮、契谈阔论，我倒钟情于后者。有时觉得与其到轻音曼绕的茶室品茶、品人，还不如与第二种"酒肉朋友"去豪饮一杯无。

茶原本是供人解渴的饮料。手捧杯馔，品饮茶汁，能生津解渴、消解倦怠。品味日久，品出了诸般道理，即所谓的茶道。东瀛有茶道，不列颠亦有茶道，但亦不过华夏茶道基因下的物品而已，不过在转基因中有了一定的优化。"人生只等一壶茶"，这个茶就不是纯粹意义的茶了。饮的是茶，品的却是生活。这个茶或许是一个梦、一个理想、追求。人生若如一个茶壶，企盼沏入一壶好茶，鲁迅"横眉冷对千夫指，俯首甘为孺子牛"，毛泽东"数风流人物，还看今朝"，应算得上是他们的人生香茶。人生一辈子无一不是在坎坷的路途中历练、沉浮，一帆风顺只能是一种美好的企盼与祝词。吃得苦中苦，方为人上人，人上之人也只能是相对而言，正所谓山外有山，人外有人。苦难往往是锻造人的一剂良药。屈原横遭打击，才愤志出《离骚》，司马迁遭宫刑羞辱才出《史记》，嵇康引颈屠刀前弹奏的那曲《广陵散》才那么优美地响彻古今，诸葛亮为图报"三顾之恩"而鞠躬尽瘁，这些或许就是那些大圣大贤毕生苦等的那壶茶。人海中的芸芸众生没有那些贤圣、名流的垂名青史的掌故流传，但也各自有着自己的那壶茶，温暖床榻做一黄粱美梦，黄昏的瓦檐下守望儿孙从那蜿蜒的山道上匆匆归来，山花烂漫时她在丛中笑，心仪日久能揽君入怀等又何曾不是平常人等苦候的那壶茶？人生苦等的茶有时那么遥远，有时却在身边眼前，有的终生不遇，有的却熟视无睹，待到如梦方醒，人却走了，茶也就凉了。

不同的人有不同的茶品追求。欲立功者如帝王君主心系社稷江山、泽被臣民，亦如王侯将相策马疆场，捍卫家园；欲立言者著书立说、修养民众；欲立德者则追逐德品懿范、教化众生。

《红楼梦》妙玉说茶的一句话很精彩："一杯为品，二杯即是解渴的蠢物，三杯便是饮牛饮骡了。"长期饮茶经历，多止乎于二杯、三杯之间，口渴了随手取杯舀茶咕噜下肚，渴意立止；大醉而归，趔趄中手捧每天上班前就已泡好的大茶钵，一阵驴饮，然后一觉睡到大天光。却从未刻意往"一杯"的境界去挂靠，很是有些遗憾。鲁迅讲"喝茶好，喝好茶"。当然喝茶好处众多，不然不会盛行华夏几千年且风靡全球。喝好茶，每个人都希望喝好茶，这个好字背后隐藏的东西就多了，是需要品才能感受出来的。要喝好茶，得营造喝好茶的环境，天气好、心情佳，赴饮者志同道合，不一定是谈笑皆鸿儒，但必志趣相投，重情重义，有点像"酒逢知己千杯少""酒从宽处落"。一句话，用口去品，用心去感受、感悟。

茶贵在品。晚明张大复："世人品茶而不知其性，爱山水而不会其情，读书而不得其意，学佛而不破其宗。"茶性有自然属性，亦有社会属性。茶是象形文字，很有趣，人在草木之间，人生一世、草木一秋，草木代表的是大自然，人要充分地融入契合，而茶是最佳的探路者。通过饮茶将茶性与山水之情、书之意、佛之宗相提并论，可见其隐含的背景是多么的博大精深。与好友诸人汇聚于江畔榭亭上，一边品茗，一边眺望青山隐隐、滔滔江水奔流东去，或深山涧谷的某一茅庐，抚琴煮茶，听大自然的鸟叫虫鸣，又或闹市里某一茶室，热气蒸腾的茶雾、茶香与轻音乐的深度融合，感受"光照苍山缘一世，香生鸿庆聚八方"的快意，这些都是不可多得和平常难企及的雅尚与清玩。茶性或茶味当中，最讳莫如深的莫过于与宗教融通的禅味。就是人们常说的"禅茶一味""禅茶一体"。禅固然指佛禅，而禅茶一体却别有另味，在我看来，这禅兼具了佛、道、儒的茶味，或茶沟通了儒、佛、道。饮茶须静亦能使人静，佛禅主静，宁静致远，静中空灵，静中忘我，于静中参禅方能悟出"菩提本无树，明镜亦非台。本来无一物，何处染尘埃。"和即中庸之道，乃儒之主髓。茶浓于水，略有刺激提神，却烈不如酒，饮之兴奋却不致似酒易使人乱性，为二者中和，茶性谐合中庸，是以儒家以茶养身体、以茶养生气。茶乃自然物类，其性自然，尤原生态的茶自然纯朴、平和清静，人饮茶乃是以清静的心态对自然的亲近与融入，去人化自然，与道家天人合一、道法自然契合得水乳交融，因而"茶道"。追佛禅做不到，崇道禅而不允，求儒禅却不能怎么办，不妨到茶禅中去，因为那里有佛法众生，禅性相伴，亦有清心寡欲、凉热冷暖，更有生命沙漠的绿洲……用现代的时髦语言就是追求一种精神的净化。这时的饮茶已非品茶味本身，而是作为一种承载失意苦闷的桃源乐土以及志向表达的修身养性的有效路径、自我调节。天地万物，各遂其性，乾坤朗朗各求一隅，世态纷繁各随其缘。一腔热忱无从释放，或寄情山水，或移情琴棋书画又何尝不是一件好事？这就是味外之味了。茶有着不可比拟的融入性，春夏秋冬、晨昏午夜，不论季节、不分早晚皆可适宜，也不究高低贵贱均能适用。茶在入雅上更是独占鳌头，因而经历史上众多的文人志士渲染出诸多的味外之味。尤其是一些心灵困苦的落魄政客、失意文人，"起尝一瓯茶，行读一卷书""或吟一诗章，或饮茶一瓯。身心无一系，浩浩如虚舟。"手携一壶茶到大自然中去悠游山林，品饮凉泉，超乎物外，忘却得失。英国作家狄更斯说："茶将永远成为知识分子所爱好的饮料。"这话似乎只说对了一半。

老舍无疑是品茶的顶尖高手。烟民们讲"文章不通，全靠烟冲"。而老舍却一边饮茶一边作文。他一生深耕文坛，著作等身，笔耕中以茶助兴，以茶谋文，茶乃他谋篇布局、涌动文思灵感的灵丹妙药，品出了《茶馆》的百味人生。这部话剧不但实现了作品创作艺术上的重大突破，还以茶馆为舞台，勾绘出了清末戊戌维新到北洋军阀、民国末年三个时代半个多世纪的历史背景，刻画的七十多个人物中，有清朝遗老、商贾贩夫，有社会名流、权势贵胄，有评书艺人、市井小民等，通过在茶馆的聚散，品茶中闲聊，活灵活现地再现了那个时代变革的社会形态。

挂末在"开门七件事"中的茶叶，却最为任性。粗茶淡饭、茶余饭后，茶做起了老大，排名在民以食为天的饭之前，这个排序没有功利成分，反映出茶于人们的紧密程度，宾朋临门，先是用茶款待，酒足饭饱再饮茶一杯，以遣席终后的余兴。"呼童不应自升火，待饭未来还读书。"待饭有时是漫长的过程，待饭时若独自一人尚可"还读书"，若高朋满座，宾主寒暄则非饮茶莫属。大凡每个家庭的客厅，茶几是必不可少的，其功能并不单纯是存放茶具的，有诸多功用，但却用茶为之冠名，足见其举足轻重，因其有雅气。米桶、油盐罐子、酱醋瓶子只能下得厨房，唯茶几上得了厅堂，并自信满满地站在厅堂中最耀眼的位置。恐怕只有酒能与之匹敌，于米"良田千顷，日食不过三餐"，而且也不可能长久耗时于餐桌；于柴火，可煮食、取暖却不能延续人的生命；于油盐酱醋只不过调节味道而已，有固然好许，实在没有亦能过去。唯酒与茶的文化威力应该是旗鼓相当的。正因为其背后的文化威力，使这个平常物事竟然与一些历史、现实的大事纠结到了一起。比如，传说中的先祖神农尝百草后身中剧毒，意外得到茶的解救。到两晋的时候，茶竟然与反腐倡廉关联起来。这个故事的主角是东晋大臣陆纳，他坚守以茶养廉、以茶养俭，客人到来，不管贵贱，均清茶淡饭待之，绝无奢靡浪费，且从不私客公请，魏晋是中国历史上最黑暗的统治时期，陆纳的存在，使人们看到了一束亮色。宋太祖赵匡胤、康熙、乾隆都是不错的皇帝，在皇位上做了不少的好事，他们都嗜茶，且都寿年不浅，不知这是否与茶有关，其中乾隆最长寿，他曾说"君无一日无茶"流传甚广。朱元璋更甚，亲自下达诏令，取缔名震几百年发源于宋朝的龙凤团茶，改为芽茶（散茶、绿茶），原因就是龙凤团茶为贡品，顶端好茶，但制作过于复杂，劳民伤财，这个以屠杀开国功臣闻名于世的皇帝，竟从茶这个角度去体察黎民，十九世纪，因为茶，美英差点发生战争，那就是著名的"波士顿倾茶事件"。据说，林则徐虎门销烟的烟土是以茶为引饵收集起来的，林则徐这位了不起的民族英雄用了十余万斤茶叶换回了一千多箱鸦片，然后付之一炬，一千多箱毒品，一旦流入民间，将会破碎多少家庭，催生多少"东亚病夫"？这一案例说明，茶能与民族英雄、国家命运联系在一起。孙中山更独具慧眼，在他的治国方略中，其中主张将茶的生产作实业救国中的重要一环节。七件事中哪几件有此辉煌的造化？

品茶，不由得想到两个姓陆的先贤，一个是陆羽，这个被后世尊称为"茶仙""茶神"的大儒，所著的《茶经》堪为茶的百科全书，也由此确立了他在茶史上的茶圣地位。另一个是陆游，这个豪迈的爱国诗人，一生苦等"王师北定中原日"而未得，却因爱国而屡遭打击、冤屈，因爱国受打击是何道理？打击者是敌国乃情理之中，但却是当时的皇帝、朝廷的一些当权者，幸好有茶陪伴着我们这位伟大的爱国诗人，慰藉他那悲愤的心灵，他也曾给后人留下了三百多首茶诗，我想在他"家祭无忘告乃翁"的"家祭"中一定少不了可心的香茗一盏，尤其是在华夏复兴中国梦的时代，要有更多的后人为之崇敬的祭上。

唐朝诗人卢仝的"茶经"非常到位："一碗喉咙润，两碗破孤闷。三碗搜枯肠，唯有文字五千卷。四碗发轻汗，平生不平事，尽向毛孔散。五碗肌骨清，六碗通神灵。七碗吃不得，唯觉两腋习习清风生。"这里有饮茶疗身、修身养性、快意情愁、淡泊名利直至达观超脱、乐知天命、羽化成仙的种种情趣，有驴饮、渴饮、品饮等梯次层级，有物质、行为、精神的渐进境界，语境通俗却哲理通透。

茶好，因其有味，有味外之味！茶还有茶外之茶，典江君的"茶非茶"有物质层面，亦有精神层面。物质上的"茶非茶"案例颇多，人们取大自然的一些有益健康的植物像茶一样泡水喝，就有了各种花茶、糯米茶、钩藤茶、决明子茶、绞股蓝茶、老鸹茶、大树茶等，还有就是与饮食结合起来，如油茶、茶话会、早茶、茶宴等。前几年我"三高"攀升，得益于茶外之茶，"三高"未能"芝麻开花节节高升"而去。这也算得上是茶的另一味外之味吧。油茶的声名早已远播，大树茶、老鸹茶却是长处深闺人未识。前几年，一位好友送来木柴几块，遂问之何用，他说泡茶喝，幸好当时未在用膳，否则非喷饭不可，但也让我捧腹了好一阵子。柴块也能当饮品？待他走后不久，将信将疑中，将柴块放入锅中煮沸，约十分钟许，停火止沸，舀汤放于茶钵，再约半小时微凉后趋赴品饮，但见原只有些许红黄色的水竟变得乌红起来，饮之亦满室馥香，神清气爽，且甘味绵长。饮茶少不了茶具，我没有什么高贵茶具，有一锑制茶壶已用近三十年，提把的防烫层已残破不全，壶形已脱体变形，凹凸不平，壶底的水垢已迭起厚厚一层，但我一直不舍换之，一直在用。有一套根雕茶几置于宽敞的阳台上，静静地掩映于花木绿叶中，因多时未用已布满尘埃，显得有些冷清。期待未来的日子里，阳台多加敞开，茶香多弥漫。

"瑞雪积丰门，闲阳照景深。又到换岁时，围炉思友人。笑斟一杯'茶'，遥举香可闻。"马年即逝，羊年来临，新年旧岁更替的时刻，我要好好沏上一壶香茶。

太极古镇

这次因公务入住全家大院，友人问是不是留下几行文字。此前从没有这个念头，写镇远的高人太多，一直不敢班门弄斧。友人的设问，让我决定提笔涂鸦，写点感受。

一

走到任何一个地方，第一印象很重要，总是让人难忘。还在很多年前，我就来到古城镇远，那时的印象是镇远山好水也好。壁立的山，柔顺的水，悠久的历史，厚重深邃的文化，这就是我对镇远的第一印象。后来历经三次大规模的"鼓捣"，这一印象便有些模糊起来。先是去请来了一位策划高手鼓捣一番，又请了一位擅写旅游文化的大师前来出点子，不多久将之搬到互联网上去炒作、征求定位词句。不能说这些"鼓捣"活动有什么不好，还真弄出了很大的动静，策划的整出了一个定位，大意是"潕阳仙都"之类，文化大师搞了个"诸神狂欢地"。上互联网那次锁定了四个字"宁静致远"，非宁静无以致远，以宁静的呼唤抵达远方，远方游客迢迢而来，感受、享受这份宁静，静下心来，思绪就飞得更远，这里有来去的哲学，我以为这倒是妥帖得很。镇远的旅游因之风生水起，要的就这效果。就像过年的糍粑，随你怎么捶槌，随你怎么掐捏，随你怎么煮吃，糍粑的本质还在那，跑不掉，食材好，味就佳。这三次都有一个共同的地方，即有意无意地靠向一个字——道。

老子说：道可道，非常道；名可名，非常名。前个"道"字是名词，指的是世间万物之大道。第三个"道"，却是动词，指的是诠释、传达之意。"名可名"同此。这几句话的意思是什么？道，能够讲得很清楚，那就不是永恒的道了，因为大道至简。名，能够说得很明白，那也不是永恒的名了。老子认为不管是自然之道、宇宙之道，还是人间之道，一旦我们自认为讲明白的时候，就已经偏离它了。道，是不受时空局限的，而语言、文字作为说明工具恰好就是一种限制。因此老子认为，只要我们把大道附之语言表述，就是对道、大道的一种强加，一种切割，或断章取义。"名可名，非常名"，更进一步否定了以概念、名称、符号去定位不同的对象。真正的道只可意会，却难以言传。镇远这块土地上，久远的延续进程，道的烟尘激扬又被覆盖，无论风云诡谲还是宁静致远，道滋生、沉淀于这一隅区域，因自然而滋生、沉淀，因人文历史延绵、叠加而厚重。仙都固然是道，是用概念、名称去定义的道；诸神狂欢（苗侗文化、儒佛道）会聚于此，共生共融，因循自然之道、社会之道，和谐兼容；宁静方能致远，这是儒佛道共有的精义，"远"是一种永恒的大道，"远"是没有终极的目标，宁静是一种高超的情绪、思想、修为、境界，也是致远的手段、通道。

远古时期，一切如混沌，一切似虚无，然无中生有——太极生两仪，两仪生四象，四象生八卦……太极是无，由无而生万物，而浩渺无垠。

当我登上四官殿，在那一脉连绵的府城垣行走，由石屏山巅临空俯瞰，九山抱一水，一水分两城，看到有限的空间里蕴藏一个辽阔无边的道，我无法用语言表述，只能慨叹。当我经祝圣桥抵青龙洞而上中和山，眺望潕水从混沌远古迢遥而来，将广袤的宇宙在这里浓缩成一个微景，让世人们开悟迷离恍惚的万事万物，让有缘人寻觅到一种无所不容的宁静和谐的精神世界。而当我在夜深人静，独处全家大院，墙角深处的蝈蝈们那唧唧不休的鸣叫，似乎在向我传递着什么样的信息，说不清，也无须道得明。

二

仲秋的午后，阳光暖洋洋照着石屏山，沿着镶嵌在悬崖上的水泥石阶，我独自攀行。山道行人稀少，落叶铺地。四官殿的左下侧的石刻碑文：四官殿坐北向南，属古城垣的一部分。正殿为重檐歇山式穿斗木结构，吊脚楼。一层为登山石径通道，二层为正殿。左侧下道旁依次竖有不少明清时期的石刻，或附或嵌入山崖缝隙，内容为求财、祈福、契约见证，看得出，这是修建、修葺四官殿的资金渠道。四官殿建于明初，亦称东方战神庙，面积不大，没有那恢宏的气势，显得精致小巧，但飞檐翘角翼于危崖峭壁之上，飘飘然容易给人以想象的翅膀。二层东供奉龙虎玄坛真君，是民间的所祀财神，吻合那时道教神话的流行，二层西供奉日月之神，契合阴阳调和也可理解。而正殿神像分别是战国时秦国的白起、王翦和赵国的廉颇、李牧，这就让我开始百思不得其解了，因为四个将领分属不同营垒，各为其主而一度生死搏杀，怎能同身祀奉一殿？有的这样解读，化干戈为玉帛，乃人们厌倦战争、期盼和平的一种表达。这是否有些牵强附会呢？伫立正殿门口，兀自思忖。相传能驱雷役电、主持公道、买卖求财、保病禳灾的龙虎玄坛真君，曾奉玉皇大帝之命为天师张道陵炼丹护炉，其麾下有应五行的五方雷神五方神兵、寓春生秋煞的水火二将、寓天门地户阖辟的天和地合二将，与日月之神护法东方战神，这个立意是符合世间大道的。眺望山下那如万马归巢"一水分两城"的太极图城，柔顺的舞水从古城往祝圣桥下流向石屏山，流向远方……就觉得好像找到或者已靠近了答案。还有人用"何意百炼钢，化为绕指柔"来解读，也不错。暗淡了刀光剑影，远去了鼓角铮鸣，宁静与和平才是我们的生存之道，一切尽在不言中了。待有一天，秋风萧瑟的一天，我从"和平村"走出，一阵凉风吹来，蓦然惊醒，感觉到一股浓浓的"道"味，有多少人领悟了其中的真味就不得而知了。

三

青龙洞，是一处融儒、佛、道三教为一体的古建筑群落，其间既有佛教寺庙，又有道教宫观和儒家祠庙书院，在一处建筑当中能够三教合一，十分罕见。两万多平方米，六部分三十六座单体建筑，集儒道佛、会馆、桥梁及建筑文化于一身。采用了"吊""借""附""嵌"等多种工艺，在一段悬崖峭壁上筑出中元洞、紫阳洞、青龙洞、万寿宫等一片阁楼洞天，堪为奇观。青龙洞建设略晚于四官殿，面积大去许多，声名也远大于四官殿。有意思的是青龙洞处地叫中和山。而万寿宫戏楼有"中和且平"四字。我们可以想象到玉皇大帝、释迦牟尼、太上老君、张三丰、吕洞宾、大成至圣先师孔子等几十位"神仙"、贤圣共聚一山，为中和狂欢。有的这样评价青龙洞：气势雄伟、构思大胆、布局精巧。然最绝妙的构思还在于中和山，如果说精妙绝伦的建筑是其形，那么"中和"就是其魂了，诸神们为之而击节、修悟、狂欢。我仿佛看到了一场纵贯千古的历史盛会，围绕"中和"这个母题，三大教派的巨头在挈领各自的教义侃侃而谈，从混沌、天地阖辟、鸿蒙初启到三生万物，从古讲到了今，从浩瀚宇宙讲到了太极古镇，并锥在中和山上。

在儒家，中和乃思想核心。中和，中正、平和，出自儒家《中庸》："喜怒哀乐之未发谓之中，发而皆中节谓之和；中也者，天下之大本也，和也者，天下之达道也。致中和，天地位焉，万物育焉。"君子的达到中和，天地都会赋予他应有的位置，万物都会得到养育。这就是几千年流传下来的中庸之道。庸，人的需求、互动，人与人（或物）之间互动过程所获取与付出的量，要求要中度、适中、不过分，即俗话说的恰到好处、不偏不倚。后引申为道德修养的境界，一种处世原则。万事万物都有一个中间点，坚守好了这个中就能平衡、不偏不废。孔子训示要"和而不同""乐而不淫、哀而不伤"。用中和的道德理想入世，去修身、齐家、治国、平天下。

在道家，中和乃其世界观与方法论。中和，在道教则指元气，"元气有三名，太阳、太阴、中和"（《太平经》）由中和调节、平衡阴阳。群经之首《易经》"一阴一阳之谓道，道即中和之道，又称太和，即气的运动规律。亦谓之太极，阴与阳和，气与神和，谓之太和"。道家以"道"为中和之气，这气负阴抱阳，超越时空、超越感知，为万物生存之母，万物之源。道生一，一生二，二生三，三生万物。因此万事万物是一个共同体，要中和，和睦共处，人与人、人与物（自然）、人与社会和谐才造福人类。阳阳平衡是以气为存在方式，元气中和则风调雨顺、万物蓬勃，阴阳失衡则元气大伤、祸乱必至，人体循环、世间运势、天宇运行莫不如此。贵阳搞大数据产业，"无中生有"，就深谙道法之奥妙。

在佛家，中和乃其思想大厦之基。某年到杭州，因敬慕梁山好汉鲁智深、武松，拜谒了六和寺，何谓"六和"？寺边小店购书一册，这注释六和：戒和同修（在法制上，人人平等）、身和同住（在行为上，不侵犯人）、口和无诤（在言语上，和谐无诤）、意和同悦（在精神上，志同道合）、见和同解（在思想上，建立共识）、利和同均（在经济上，均衡分配）。佛教虽系"舶来品"，但影响极大。佛教的思想体系里，中和是其中心思想。世界观上，佛教主张，世界上存在的一切法相都是依照中和之道而形成的，即"诸法因缘和合生"，认为世界一切皆依"因缘和合"而产生，"和合"是根本的原因和机制，离开"和合"，便一切归于寂无。佛教规仪"六和"即源于此。把"中道"作为禅修的根本方法。又把行乎中道的"中观"奉为佛教最高智慧的结晶，即所谓的"中道第一义谛"。佛教有句名言：色即是空、空即是色。什么是色？指一切物质的存在，物质就是"色"。什么是空，指物质的本性，即性空。"空"在佛法中，表达的一是切事物都是处在变化当中，没有事物是一成不变的，也没有一成不变的事物。万物都处在生灭轮回、变化无常之中，这个过程就是佛法所讲的"空"。所以，色即是空，空即是色，其真正含义在于是任何事物的本性都是空的，而空性则必须在具体的物质中去体现。

儒道原本同源，也有的说儒源于道，后来各自开宗立派。儒道

016

有共同的母题——天人合一，中和为其实质，天人由中而和合一体，因中才能合。但两家又是有区别的。董仲舒说："中者，天地之所终始也；和者，天地之所生成也。夫德莫大于和，道莫正于中。"（《春秋繁露》）正因为中和是宇宙天地万物的根本规律和生存之道，因此，也就成为世间为人处世的根本方法。所以，孔子便把"中和之为用"的中庸视为人的最高的德行："中庸之为德，其至矣乎！民鲜久矣"。儒家把中和之道为儒家代代相传、信守不渝的不二道统，因而儒学本质上便是中和之学或中和之道。而道家认为，道正是因循阴阳中和的原则化生宇宙万物，中和就是宇宙根本的常道，人类的智慧集中体现在认识中和之道，老子要求"知和""守中"。庄子也同样把中和之道视为宇宙万物根本的生存发展之道，主张天地万物都是阴阳中和之气的产物，并推崇中和为立身处世之本，做人做事要与天和、与地和、与人和。天时地利人和，质点是和。和还有另一释义，折开来看，禾、口组成，禾稻禾即粮食，口即嘴巴，人活着须得吃饭、说话，享有生存权、话语权，而这一切有了，社会就必然大同、和谐矣。

　　三教之道是相通的，因此大师南怀瑾先生，将三教分别譬喻粮店、药店、百货店，皆为我用。老家有两个词很草根，有机地运用于生活日常，即中庸、六和，一个人说话做事顶用，褒之以中用，不偏不倚，中规中矩，上应天理，下应六和。六和，发拳常带六和，六和乃佛教名言。民间这些运用，是发自内心的表达与期冀。折射出了人们看待万事万物的现象和本质的人生态度，其目的是希望大家的活动顺应大道至德和自然规律，不为外物所拘，"无为而无不为"。中庸、六和里面深奥的道理，不要说那些山野村夫了，就是喝过墨水的也难说个一二，但这些常年贴近自然、大地的农夫们，却会在某一特定场合发出内心的呼唤，在某个刹那幻化人们灵感，趋求顺天应人。

青龙洞内有一副对联："颇有几文钱，你也求他也求，给谁是好；不做半点事，朝也拜夕也拜，教我如何。"这当中有玄机，皆可到儒道佛中去禅悟。

四

起初，我们入住的是何家大院，某天我正行走在尚寨的乡间田野，突然接到服务员的紧急通知，要求我们搬到全家大院，服务员含糊其词，理由好像是来了个重要的客人，口气有些忐忑和过意不去，我思忖着，以后不想搬来搬去折腾，落脚全家大院后就笃定不动了。一住就是数个月，由短打秋衣到石屏山上白雪皑皑，到万物复苏，到佳树葱茏、翠峰如簇。

古镇有不少古宅大院，走进幽深的古城巷道，一股浓浓的古味迎面扑来，鳞次栉比的古宅大院、古朴民居便跃入眼帘。何、全大院只是其中代表，还有傅家、杨家大院等。以原主人家姓氏名之，实际上已改为国姓，江山是主人是客，其后人至今如何不得而知，至于暗寓"和""全"与否，那是无独有偶了。

这些古宅无一例外地门楣上挂（贴）有牌匾，书写有白底黑字，以四字居多，如良弼名家、武陵世氛、封唐召泽、友悌鸿达、瑞洁衔环、彭城世泽，还有杨家大院的弘农世第、清白家声……这些都辉映儒家史册的思想元素，也是入世济时、光耀门庭、建功立业的高端成果，传递着家道曾经的辉煌与显赫。还有一个无一例外"歪门斜道"，大院的正门与进入正堂的门呈丁字型，不正对巷道与正堂，俗称歪门邪道，与北方四合院截然不同，北方院落如故宫，中轴线、子午线对标调适，周正堂皇，彰显儒家正统。歪门邪道与中规中矩的传统儒学格格不入，乍一听斜与邪同音，易拽入旁门左道的错觉，有些不是滋味，后来逐步走近这些院子，才慢慢发觉这个歪门邪道颇有讲究。首先是风水，玄关，有私密美感，第二有防御性能，第三因形因势构建与北方四合大院完全不同，转阁回檐，内部结构周正堂皇，因之多了江南山水的灵动。

全家大院属二进院落，共六栋木质建筑，各自独立，却又游廊曲径连接彼此，起居十分方便，先入门屋，东面房屋为日常生活，西为正房，为厅堂、私室及闺房。从圆门入内，精致的影壁上，一个福字赫然入目。整个院落宽绰疏朗，古色古香，威严壮丽。二进二出，数蓬绿荫，款曲回廊，始终透出那么一股沧桑与神秘。入住时，已进入旅游淡季，不时就有了独处的机会，独处深宅，在斜阳西沉、夜深人静时最易引人浮想。夕阳中，我坐在二楼廊檐上，抽烟品茗，看那亘古耸立的峰峦，看那遥遥天际的苍蓝，好生感受这个难得的清净世界。入夜了，灯光幽暗无声，静静地照着，橘红色的光与那皎洁的月光媾和，投影到古铜色的板壁、青色的瓦面与石板、石阶，尤映射到天井那一钵翠绿的盆景，让人感慨良多。当墙脚、石缝的秋虫呢喃声起，"咚——咚！咚！"更夫敲着梆子"注意火烛"的唱念声悠悠传来，"秉烛尽今夕，烟月付苍茫"就会油然而生。

五一小长假过后，时令已进入盛夏了。我又来到全家大院，收拾存放在房间的资料、书籍、衣服，准备作别这座古宅。这将要阔别的时刻，离愁别绪无例外地向我袭来，毕竟半年多时光的朝夕相处。我已被古宅的一砖一瓦、一花一木所濡染，我的足迹已刻进那青石板的锃亮的光里，那独处时的孤影被橘黄色的夜灯投影到古铜色的板壁上，那恐怕是今生怎么也抹不去的了。就说身边这些物什，那堆资料像一个导航仪，导航我走向各个乡镇、村庄，走向崇山峻岭、旷野田园、农户院落，由之获悉了乡村的时代巨变，见证了历史车轮滚滚向前的轰鸣。那几册书籍，伴我度过了多少个漫漫长夜，其中一册为本土作家所赐，优美的文字让我沉浸在静静的舞水，徜徉在古城的历史长河，而沉思、沉醉……那几件衣服，有长短袖、有毛衣厚服，睹物生情，蓦然惊觉，时间飞逝呵，在这古宅，我已历经了秋冬与春夏。

是的，秋去春来，转瞬之间，我的一个春秋就剪贴在此了。"芳草和烟古巷深"，在作别的前夕，我想再独自溜达溜达，从四方井街口、四方井、杨家大院、全家大院，十分钟不到的路程，我足足走了近一个小时，从夕阳西下直到华灯初上。风摆绿叶，凉意拂面中，踯躅，徘徊，用脚步丈量，丈量幽玄的时空、丈量凝重的古巷道里我曾洒落下的光阴，丈量一段别样的人生旅途。

在门扉贴有"光荣之家"的古宅前，我逗留了较多的时间，屋宇院落颇有些气势，隐隐然透出曾经的风光与繁华。这古宅位于全家大院西北角，大门当中垒叠悬挂着三把大铁锁，冷冰冰且已斑斑锈迹的铁锁隔开了门里门外两个世间。铁锁锁住了空间，却锁不住时间的流逝。从门缝处向里窥视，院内石阶铺满杂草，那一蓬蓬的狗尾巴、蒲公英、牵牛花、麻叶，还有一蓬巴茅草以及不知名的野草、小草，历经春风夏雨的洗礼，蓬蓬勃勃，任性地抽长，那修长的牛草向墙外探出脑袋，似瞭望、呼唤远方的主人。青苔芜石阶，宿草尘森门。墙角、小径、阶梯霉苔斑斑，看得出，主人已久未回家了，缺乏人气的对冲，气场与运数失衡，霉气肆虐着这座古宅，给人的视觉冲击，就不是沧桑两个字所能表述得清楚的了。

清晨的太阳已爬上远山，明丽的阳光披洒在石屏山上，而后流泄到全家大院的瓦面、灰墙，并透过窗棂投射到我就寝的房间，似在提醒我，该启程了。背着行囊离开时，我做了两件事，首先向服务员辞行，几个月的和谐相处，相互间都有了感情，依依不舍溢于言表。接着照了一张相，配以"再别全家大院"的字样，微向朋友圈。骨碌碌声中，拖着拉杆箱出复兴巷，打的到火车站，取票上车。汽笛一声长鸣，我的镇远之行也就告了一个段落。车上打开流量，点赞、问讯，那则微信已经爆屏，有的调侃："轻轻地挥挥手，可带走一片云彩？"我回复："带上了，带上了太极古镇的云彩、阳光，还有太极古镇的禅悟。"

天堂界日记

　　围城，原本譬喻婚姻，城里的人想冲出来，城外的人想冲进去。后引申为不同的人对事物取舍追求的不同，生活中人们往往会遇到许多的"围城"。

　　近些年的节假日，国人的大流动大都是以城市的人疯了似地奔向原野、乡下的人拼命往城市挤为主要表现形式的，双向流动近乎狂热。这些年又有了新的变化，奔向乡间原野的队伍中，出现了一个新的群体，比如我辈，每每长假前夕，殷实人家会问询、邀约远赴名山大川游历行走，而我囊中羞涩只能艳羡，目送他们或扶摇九天或动车奔驰后，立马转身毫不犹豫地奔向故园、乡野。吾辈本身出身田野草根，有了城市生活的资格和经历，却选择奔向丛林田野，这有突围城市的意味，也有囊中羞涩的窘态，更多的是情怀的牵引与回归。

　　于是，戊戌年国庆节，乡情的呼唤下，我回到了老家。还在距国庆一个月的时候，就开始呼朋引类了，在微信向朋友圈发出邀请，相约懂达、相约天堂界，作为走出"围城"的目的地。

　　10月1日，晴。预约上午11时剑河高速公路出口附近渔庄汇合，中午2时集结芭蕉湾观景台，午餐。七个家庭凑份子的形式组合成的午餐，丰盛异常，20多个菜肴摆满了水泥桌子，没有统一的碗盏，餐具参差不齐、五花八门，碗的大小不一，筷的长短各异，就餐者里三层外三层地围拢在餐桌边，或站或蹲，津津有味、满心开怀地吃午餐，一切看上去有些杂乱无序，没有章法。但我觉得这是我平生不可多得的最为有味的一顿午饭。这份子凑得奇妙，不要以为只是凑饭菜那么简单，背后的用心是良苦的，也是感人的，这份子凑的是每家掌勺人的拿手好戏，是手艺与豪气的展示，还是个性、爱好、才情的表白，更是慷慨与热忱的传达。七八个家庭汇聚各家的一两道敲门菜于一桌，简直就像一台不分胜负、没有冠亚军的烹饪大赛，或饮食文化大展出，你看满桌琳琅满目，特色纷呈，色香味顶配，再添加友情、亲情于一席，那是妙不可言的。某道菜肴得到了点赞，菜的主人会笑得像天空的太阳一般灿烂，某一钵汤受到了嘉许，心情会像过年般舒畅。顶顶家那盘腌鱼、老友家那钵酸菜饭、福源家那罐野生鲶鱼、苗家妹子家那碗烟嘎、华和岚的盐酸菜、环君一郎家那一大包姊妹饭，还有锦色家那大锑锅渣辣菜，当这道菜最先告罄时，她笑了，烂漫得像满山的红叶，我觉得这是她最美、也最开心的一次微笑。整个观景台，不，大自然是我们宽敞的大包房呢，朗照的秋阳美过了任何星级宾馆的日光灯，软绵绵的草坪胜过了所有的高档逍遥椅，吹拂的习习微风俨然无须能耗的天然空调，佳肴美味飘向溪涧，溪水里的鱼儿也都醉了，香味掠过山林，林中的鸟儿发出了欢唱。

下午四时抵懂达，同族爷崽正在杀猪、修猪，猪活气（即毛重）260市斤。晚餐吃庖汤，庭前水泥坪摆满了五桌，两盏电瓶灯照彻了夜空，大块吃肉、大碗喝酒，欢歌笑语，连同庭前馥郁的桂花香，连同那久违了的乡情，荡漾在上接寨的夜空。这样的夜晚，暌违久矣。顶顶历经数月的隐忍开戒了，老友敲门歌"细鱼崽"大大方方地起来了，福源他的家传秘方酒闪亮登场，环君一郎冒着高血压频频邀杯，小平隆重推出了自己的酒歌处女作，布谷鸟、岁月如歌全心全意地尽好观众、啦啦队的本分，鼓掌附应。教练兴致高昂，与侄子辈、孙子辈媳妇们对起了酒歌，他是以讲歌的形式展开对阵的，事实上谈不上歌，也算不上四言八句，有时前后语境、语意全不搭界，他也有十足的勇气唱（讲）下去，而且是愈讲愈勇，神采飞扬，语惊四座！实在接不了下文也不要紧，恺、嘎之类的语气词会帮他巧接上下文，从容渡过难关，尴尬这个词好像与他一毛钱的关系也没有，如不是苗家妹子的歌喉过于嘹亮与动听，将他的讲歌声淹没了，他会旁若无人地永不停歇地演绎着他的讲歌节目。最终，因他"讲功"了得，媳妇们一一败阵。"高手在民间"这句古话，就被他的讲功颠覆了。我有时在想，露营的岁月里，如果没有酒将会怎样，有酒却没有歌、有歌却没人讲又将怎么样？看来，讲歌已不可或缺了。入夜安营扎寨，露营停车场，村民尤为好奇，弃楼房而栖帐篷，啧啧惊讶，诸多不解。丹桂飘香，玉露生凉，渐渐地鼾声替代了歌声，进入了梦乡。

10月2日。早餐后，目的登顶天堂界。相传天堂界之巅，有泉水一汪，四季不枯，泉里居住有一对天鹅，护佑四周村民风调雨顺。因长期吸大地之灵气、日月之精华，而羽化成仙，飞升天堂去了，为了感恩、纪念，故名之"天堂界"。天堂界，贵州省剑河县最高峰，属苗岭山脉，位于清水江南岸，南寨镇懂达村辖下。主峰挺拔巍峨，高出云表，四周重峦叠嶂，群山拱卫，其势雄伟，其态磅礴。到了秋冬季，沿主峰直下谷底，植被呈带状分布，错落有致，线条流畅分明。其间的山货（动物、植物、藤本、草本、木本）异常丰富，是秋冬游历行走的最佳去处。是日晴空万里，我们沐浴着秋天的暖阳，沿着平道岭蜿蜒而上，一路轻盈，一路欢歌，要将身心融入层林尽染的天堂界的怀抱。秋天的天堂界，景色尤美，近处树梢已绿中泛黄，不时有落叶在随风起舞，我们不用再去重温"一叶落而知天下秋"的伤感古训，因为这时天堂界浓浓的秋意已写满了我们的眼帘。尽管入秋的天堂界已显露苍凉了，但春华秋实的自然定律赋予了天堂界更多的是雄浑的意境，确实历经了春天之蓬勃、夏日之繁茂，到了秋天，天堂界显得更加雄伟与壮实了。你看，远处山腰梯田里那黄澄澄的稻谷，在秋风中翻起的层层金色波浪，就是天堂界的秋之本色，天堂界千古以来最夺目的画面。

　　一路游览，一路走走停停，走有走的道理，停有停的理由。有野果丛生处，我们用石器敲击板栗，板栗裂开小口似在善意微笑，大把大把地吃那红艳艳的酸汤果，包口包嘴地吃那绿茵茵的布冬果肉，不用顾及形象，要的就是这个样，因为这才自然、原生态。路边一泉水汩汩处（村庄饮水的源头），我们停下车来，先捧掬一口甘甜的山泉，凉爽一下心怀，再骋目远山，放歌一曲、喊山抒怀一阵，放松所有的身心，我们已投入了天堂界的怀抱。至于我，那儿时的所有往昔旧梦便一幕幕撩开。凉丝丝的秋风一个劲地吹拂着路边的实竹叶，发出沙沙沙的微响，是在提示我们，既来了，千万别空手回去喔。于是"兵分几路"，穿过没膝的杂草，倏忽间就钻进了实竹林，阳光透过茂密的实竹叶，一缕缕地投射到地上，照耀着地上密密麻麻的竹笋，或晦明晦暗，或光影婆娑的地上，那拔节抽长的笋正争高直指要奋力冲出重围，那刚破土而出的匍匐着，像憨态可掬的罗汉，笑盈盈地面对来客；那尚委身黑土的正撑着小脑袋为迈向光明做奋力一搏。不能辜负了大自然、天堂界的恩赐，一片惊喜声中，尽情地收获，不多时，一捆捆、一袋袋笋子进了后备厢，当然有部分将笑纳进那新灶搪锅，与炖猪头、炖猪脚、炖酸汤一道慰劳我们那欢欣鼓舞的肠胃！

通吉坳的悬崖绝壁处，有一汪山泉先汩汩流淌，似琴抚山中，而后飞流直下，这一汪泉水验证了山高水高的自然奇迹。也激起了我高山流水的联想，《高山流水》能成为十大古曲，千古绝响，流传数千年不衰，在这里可以找到充分的理由。停车稍做休憩，渴饮甘泉，沐浴秋阳，有的干脆把瓶装矿泉水倒掉再重装山泉。然后惯性地打开手机，继续把我们的形迹、芳影刻录下来，把动人一瞬定格为永恒的记忆。我啜饮了一捧山泉，向同路们讲述了一个历史故事，即关羊坐坳、寨蒿挑盐的故事，寨蒿挑盐的故事流传较广，情节惨烈，结局悲催。原来周边方圆数百里的食盐来自于闽粤沿海，经珠江溯都柳江至榕江，再分流部分到寨蒿码头，再行销到懂达周边以远，通吉坳为必经之路，因其有一夫当关、万夫莫开之险，盗匪在此拦路打劫，杀人越货，许多盐贩子命丧于此，就有"寨蒿挑盐"的说法，懂达就流传有多个悲剧。悬崖谷底堆积的白骨到底有多高，没有人知道，不知大家闻听后唏嘘不已，慨而哀叹曰：想不到这故事发生在这个地方。

正午时分，登临天堂界之巅。"树树皆秋色，山山唯落晖。"如果说这是刚才一路的景色，那么山巅的景致就该用大气磅礴、一览众山小之类的词句来描绘了。正想用什么样的形容词来抒发一下自己的感触，环君一郎脱口而出的诗句给了我共鸣："海到无边天作岸，山登绝顶我为峰。"天苍苍，山茫茫，天高地迥，觉宇宙之无穷。我们立于天堂界之巅，已是距离天堂、穹隆最近的地方，蓝天似乎触手可及，白云似乎可以撕下几片，琼楼梵音似乎隐隐可闻。放声高歌吧，与天籁琼音一起合唱，高声呐喊吧，让我们的心灵肺腑与深山空谷共鸣回荡。掠过山顶的秋风让我们远离了喧嚣，长空翱翔的雄鹰要为我们啄启天堂之门，飘飞的茅絮扬起秋之韵味，舒卷的白云拂去了俗世的烟尘。

天堂界之巅，仙鹅生活的地方。同路们用各自用不一样的方式，来表达身临仙鹅栖息地的感受。凭目四眺，面对触目可见、随处可得的美，她们欢呼着，雀跃着，用照相机手机、用光圈与快门刻录下来，记载登临天堂界的良辰美景、万千仪态，将这一路旅途的精彩片段、美丽瞬间记录下来，将生命最开心的篇章记录下来，然后配上一段美文微向山外，与远方的、未能前来的朋友分享。

这天，我感觉到，天堂界的风景从未有过的美好。因为对于天鹅，我们的图腾由来已久。我们相约来了，带着无限的景仰，来寻觅那个美丽的传说。我们一路欢歌一路行，犹如云端漫步，宛若琼池起舞。我们一起用镜头留下永恒，留下美好，留下故事！

下午四时，太阳开始向西边的猫鼻岭慢慢滑落。返程中，依依不舍成了大家的共同心思，两人不约而同地停留，将什么叫流连忘返做了充分表达。回到刚才打笋子的地方，停车，继续打笋子。此时，我四下打量，又别是一番情怀、景致，路外坎是青翠的实竹林，打笋子的争先恐后、匆出匆进，一捆捆冬笋便又络绎而出，然后又是一阵惊叹、欢呼，延续那不可多得的惬意。路以坎（路的上面）是漫山遍岭的芭芒草，秋风吹来，摇曳多姿像随风起舞，簌簌作响似喁喁私语，不时还有飞禽扑棱、逃匿。那讲歌的教练又出奇招了，采摘一束芭芒草，专心致志地打扫他的爱车，时而若有所思，似在默神晚上讲歌的腹稿也未可知，时而自言自语，小调一曲，风吹芦苇的微响，倒也与那未泯的童心匹配。

停歇土地公坳，是被一蔸野布冬（猕猴桃）吸引了眼球，布冬藤缠绕在一棵野板栗树上，挂满了果实，褐黄色的果儿挤挤拥拥，一个挨着一个，在向我们招手呢。我们一拥而上半小时不到，大部分便被我们请进了塑料袋。土地公坳对我而言，多了一份乡愁，未通车时，这里是走路到天堂界的必经之地，也是一个憩息歇脚、等人的地方，孩提时随大人到天堂界挂青往返都在此歇气。从这里，可以眺望高坡，而高坡是我童年的梦忆。大集体时，我家管理的稻田就在高坡，砍堆柴、割田坎、狩野猪、打野果、喊山……童真岁月被牢牢地扎钉于此，苦涩与烂漫书写的童年，既遥远如梦，又仿佛如昨。四十多年过去了，高坡的年轮，是一道深刻的划痕，已归于渐至深远的沉淀。此时置身土地公坳，瞭望高坡、平鲁界、马鞍山，手里握着长满密密麻麻绒毛的野布冬，满是岁月痕迹，沧桑的味道。

旅行的人都爱说，最美的风景在路上，行走的旅途中，机缘、爽心乐事随处可见，只要我们用心就不难邂逅机缘，只要我们用情美好一瞬就会常留心间。这次天堂界之行不虚，便是一个很好的印证。

水草赋

那钵水草已追随我有很多年了。

还在二十多年前，在县政府工作。有一次在冗繁的公务中抬起头来，绿茵茵的一钵水草蓦然跃入眼帘，恍如一股和煦的春风，一缕醉人的温馨，使人陶醉，亦如一缕云隙里透出的亮光让人心清气爽。自那以后，我就喜欢上了平凡无奇的水草，用水草点缀我的居所，点缀我的人生岁月。

随着水草日益蓬勃，我对水草的独钟之情也就愈益执着。用或大或小、各式各样的玻璃瓶、花钵栽植，分别置放于茶几、窗台、书桌书柜的某一角。公务之余或独处静坐，面对滴翠如流、枝叶缓缓舒展的水草，觉得她似在挥动着纤秀的小手向我招手致意。

水草是一种极为平常的草本植物。说其平凡，一是多，亚热带 500 至 1000 米海拔的山涧野壑、阴湿地带比比皆是。二是不起眼，长年累月匍匐于沟泽之畔、畴垄之边，默默无闻，自甘孤寂，最是不善张扬。三是有自知之明，从未入围奇花异草的族类，暖春来临了，莺飞草长，百花斗艳，唯有水草因无奇香亦无异状而备受冷落，翻开史册很难见到描写她的诗章，更不要说讴歌赞誉之类的了。还有一点就是不讲条件，生存取舍简单，其生存物质大概只需阳光、水分、空气、土壤，甚至连土壤也可以不要。然而几十载的如影随形地结伴而行，觉得她尽管平凡，却也独特。

不因少人眷顾而自怨自艾，总是从容不迫，随遇而安。一年四季，暑去寒来，人们的目光大都因水草的不打眼而难得一次惠顾，水草也不因之而心生怨怼。年复一年的日子里，悠闲自得地伸展自己纤秀的身躯。春之阳光明媚也好，夏之烈日炎炎也罢，再或又是秋之凛冽萧瑟和冬之冰封大地亦如此，无论顺境还是逆境，顽强不屈地存活着，生长着。就是连荒原里的杂草和野黍疯长，挤压着她的生存空间，或向她耀武扬威时，也不以为意。"不要人夸好颜色，只留清气满乾坤。"当红极一时的奇花随风凋零、委身尘泥时，当异草在寒凝气候中枯萎、形容缟素时，伏居暗角的水草依然故我的茵绿，像一位执着而又负责的绿色使者，向垂青她的主体抒发着生命的豪情与绿的意义。

顾名思义，水草得其名当然与水有着不寻常的契合。雨露滋润禾苗壮，万物生长靠太阳，任何生命都离不开水分，这是再简单不过的常识。而这种小草的一个独特之处就在于与水的结缘。水草能水陆两栖，尤嗜于洁净的水边泽畔。我培育的那几钵，有土植的，亦有水育的，尤那用玻璃瓶或透明的玻璃器皿育的逗人喜爱。采撷水草几枝将枝部放入盛水的玻璃容器里，水底垫放各色石粒若干，尔后将之置于能够就光的某一隅，不出旬余，便会全然地适应新的生存环境，悄无声息中从叶蕊一片片地抽剥再度长出新蕊，而入水的枝茎也会不知不觉中生出白皙柔嫩的根须。之后就无须再做多余的照护了，水快干了适量添加净水，时日许久水体浑浊时需重新换水，就这样一天天一年年地根生叶长，窈窈窕窕，不改初衷，给我盎然出一片又一片的绿荫。我付出的甚少，获得的却很多。我给予的是纯净的水，她却时时给我以新的墨绿。一钵钵绿荫繁茂又不失温柔的水草，若袖里乾坤似的自然形态，以墨绿的色调，随时向我呈现出一隅隅充满诗味的意境。

水草从来无意荣宠，始终坚定不移地守住自己的禀性。水柳和荷花是深得世人称道的两种水生植物。水柳择居水畔，无论是狂涛怒卷、浊浪排空，还是滔滔汩汩、淙淙不息，依旧地气定神闲，从容冷静地见证着溪流东去，其坚贞不屈的品性，与"生千年不死、死千年不倒、倒千年不腐"的大漠胡杨很为相似。荷花又名莲花，乃净洁、高雅、超然的象征，因而溢美她的诗赋文章就太多了，最有名的要算"出淤泥而不染，濯清涟而不妖"。即便出落得亭亭玉立、迎风招展了，也从不沾染一丝俗气，始终坚守着媚而不妖的本性。水草比不得荷花的鲜艳与名气，也比不得水柳的遒劲与坚韧，但在气节与风骨上却堪与之媲美，甚至在某些个性上还略胜一筹。她总是落落大方，天然去雕饰，甘居僻静之地，守节不移，默默无闻、持之以恒地葱翠于四季。

水草有水的风格。上善若水是水的至高境界，水小时涓涓细流，大时汹涌澎湃，有滴水穿石的韧性，有海纳百川的包容，有滋养万物的无私，在水草中可找到这些特征。

慷慨无私，襟怀坦荡亦是水草的重要风格，无需求时她甘于默默无闻，一旦需要便会挺身而出，有伞的义气。所给予世人的不仅有精神还有物质。水草，有的地方又称蜻蜓草，《本草纲目》记载有吉祥草等多种称谓。苗家人则称观音草，蕴含有救苦救难、普济苍生之意。水草却也乐得名副其实，大大方方地奉献、给予。水草的物质奉献形式主要表现在药用功能上，如消肿散热、润肺止咳、祛风除湿等方面，为苗药的一大偏方。曾读过许地山散文《落花生》："这小小的豆不像那好看的苹果、桃子、石榴，把它们的果实悬在枝上，鲜红嫩绿的颜色，令人一望而生羡慕的心。落花生有没有果实，非得等到接触它才知道。所以要像落花生，因为它是有用的，不是伟大、好看的东西。"这段精彩的陈述，也可以桥接到水草身上。

孔子最得意的弟子是颜回，颜回不但自己德仁泽厚，而且身体力行，极其正面而又深远地惠及和影响历史社会与他人后人。对其深厚的德行操守，孔子如是陈述："一箪食，一瓢饮，在陋巷。回哉乐也。"水草亦有着颜回的功德。

如是看来，与其说是水草追随着我，还不如说是我在追寻着水草。兹录无名氏打油诗一首于后："原本生存在山间，移入室内亦坦然。一生只与清水伴，枝青叶茂笑牡丹。"

燕子谁为你敞开阳台

燕子，是我打小就由衷喜爱的鸟儿。燕子是候鸟，每年都会按时归来。"栖息数年情已厚，营巢争肯傍他檐。"（唐·刘兼《春燕》）小时记得，每每送走冬寒，春回大地，燕子就会越过高山，掠过原野，伴随着南国和风翩然来临，飞抵自己的故巢。某日清晨，春燕温婉呢喃，把我从睡梦中唤醒，由此启开彼此间一年一度的相伴守望。

燕子是家乡众多益鸟中的一员，专门捕食为害庄稼的害虫，感恩心重的乡里人对它们从不去伤害。年少做过不少顽劣事，但从未伤害过燕子。母亲说燕子不但是益鸟，还是吉祥之物，谁家檐下有燕子筑巢而居，这家人就会四季平安。更不能食用燕子肉，否则那会眼瞎的。燕子还是称职的气象使者，"燕子低飞，山雨欲来"，燕子飞翔的高度降低，那是山雨将至的前兆，提醒人们赶快收拾好晾晒的衣物。燕窝泥土甚至还可入药。因此，对它的喜爱还多了一份敬意。

燕子敏捷善飞，是家乡上空舞蹈集群中的佼佼者，身轻若燕、莺歌燕舞就是恰切的褒奖。春夏期间，群山环抱的寨子上空，像一个大舞台，一大群技艺高超的舞蹈大师，在自舞自娱，竞技舞艺。在这个集群中，燕子的舞姿足可让观众行注目礼。你看，蓝天白云下，可爱的燕子们一边啁啾呼应，一边舒展曼妙的身姿，忽高忽低，往来穿梭，辛勤敬业地舞蹈着，慷慨无私向观众奉献才艺。

我家门口有个不小的庭院坪子，坪子周围植有核桃李、梨子、杨梅等多种果树，有用竹竿搭上的晾衣架，屋后有两小畦菜园，春天来了，花团锦簇，满目翠绿，或许是这样的环境深得燕子们的欢心。一般而言，一户门庭的檐下仅有一个燕子家庭落户，而我家那低矮的屋檐竟栖有两窝。两窝燕子落脚，得以与益鸟为邻，家人喜之甚也。早晨与邻居心灵话别，各自忙碌。傍晚倦鸟归巢，互道珍重，进入梦乡。某次，一只雏燕不慎失足落地，大燕束手无策，哀鸣阵阵，我闻声而至，捡起雏鸟送回其父母怀抱，有灵性的燕子报之温柔的呢喃。有时上山砍柴割草，专门捉一些蚱蜢、小虫放在燕子窝边，燕子就更欢了，一个劲地跳舞唱歌，一会儿飞向晾篙，一会儿扑下地面，倏忽间又蹿上树巅，有时还呼朋引伴，兴致勃勃地来一场联欢。秋天来临，燕子又将南迁，与我作别而去。凭目燕子飞越寨子背后的山脊绝尘而去，望着屋檐下空荡荡的鸟巢，心里会空落落好一阵子。燕子恋旧，为了燕子来年有栖身之所，我对空巢爱护有加，生怕毁损了，便用木板为之固牢。在与燕子和谐共处、耳语对话、心灵感应中，我的童年、少年岁月平添了无数乐趣。

"细雨鱼儿出，微雨燕子飞"。燕子一直以来为文人题咏的对象，有些像家乡的萤火虫，这些温文尔雅又良善的鸟儿虫儿，有诗味雅韵，萤火虫忽闪着梦幻般的微光，春燕婉约的呢喃梦呓，很容易撩拨文人们的心弦。丙申猴年除夕，我家门口对联就是以燕子金猴为题："金猴开玉宇，紫燕舞新春。"刘禹锡《乌衣巷》："朱雀桥边野草花，乌衣巷口夕阳斜。旧时王谢堂前燕，飞入寻常百姓家。"很有名，印象也很深刻，开始理解却肤浅。随着人生际遇的演变，才慢慢咀嚼出个中真味，这首能令诗圣杜甫"掉头苦吟、叹赏良久"的诗，告诉我们，世间上没有永恒的繁华，也没有开不败的鲜花。朱雀桥边的野草花年年依旧，乌衣巷的夕照岁岁如故，然残花落照，世事沧桑，故巢旧燕已数易其主了。

离开家乡后，与燕子阔别了数十年。偶有回到故里，能与之晤面，谛听其温婉呢喃，却难以找寻过往的相互会意。"明年花发虽可啄，却不道人去梁空巢也倾。"（林黛玉《葬花词》）它们的故巢已毁于十多年前的寨火，它们的老主人早已作古天国，它们原来的小主人也已历经世间沧桑，斑白了双鬓。几十年来，堂前旧燕的身影一直萦绕在我的梦里，每当踏青旷野，看到蹁跹起舞的春燕，思绪就会情不自禁地回到故乡与儿时，回到屋檐下的鸟巢，总惦记着屋檐下燕子来去的姿影与温存。总想在每个人生驿站重构一个或两个燕窝，与之相伴，与之会意。家居凯里后，几度搬家，其中有两处居所都有阳台，每到燕子归来的时节，将阳台敞开，企盼能有燕子落户为伴。然多少年过去了，从未有燕子落户我家阳台过。家居大十字附近时，确有两只燕子抵达阳台，呢喃几声就飞走了，似在歇脚问候，又似在远行话别。再次搬家，阳台很大，我在阳台上栽培数十种花草树木，并总是把阳台开得大大的，期待能筑巢引燕。若干年了，仅飞来过几只小麻雀，惊惊惶惶，扑棱几下就飞走了。再后来，对旧燕的思念就更深切了，或许燕子很是忌惮悬挂水泥丛林的钢筋网笼，又或许燕子根本就不眷顾耸入云表的高楼大厦，眩晕的灯红酒绿。"羁鸟恋旧林，池鱼思故渊。"燕子，我知道你钟情山乡大地，喜欢浩瀚清朗的长空，喜欢沐浴温馨如梦的乡野气息，还有乡野里的湿润春风及枝繁叶茂的丛林、小虫。清晨的烟波流转，傍晚的缕缕夕烟，那才是你眷恋的吧！

　　于是我明白，燕子你已离我很远了。你每年千里穿行，飞越广厦长空，从不停下你前进的脚步。要想与你晤语，只有回到故乡，因为那也是燕子你的故乡。

丙申年春游西湖

"山外青山楼外楼，西湖歌舞几时休。"（林升）"欲把西湖比西子，淡妆浓抹总相宜。"（苏东坡）这些诗句，或挥毫，或吟诵，从孩提一直读到了知天命的年龄。西湖，也就由之根植于我的脑海数十个春秋了。

然而，多少年来，几度途经杭州，几度匆匆与西湖擦肩而过，这份遗憾在逝水流年中与日俱增起来。何时能走近西湖，就成了愈益强烈的期待。丙申之年初春，才有幸来到西子湖畔，终于一睹芳容。行走灵隐寺、飞来峰，登临雷峰塔，漫步白堤、苏堤，置身轻舟画舫的桨声霞影，品尝一两道楼外楼的世界级非遗菜肴，一路下来，别有意味。

西湖之美，其实"上有天堂，下有苏杭"，这一句话就已道尽了。古往今来，文人骚客们来到西湖，面对烟霞迷离的绝色美景，似乎还觉得意犹未尽，情不自禁地抒怀、题刻，留下了不胜枚举的词韵诗章。才疏学浅如窃等之辈，要想于此舞文弄墨，那简直班门弄斧，实在汗颜，陡生不自量力之无趣。然人非草木，焉能无感？面对如此良辰好景，不忍蹉跎了，于是且行且思，聊胜于无罢。

每每游历名山大川都会催生出不同的感慨。而西湖交织着多种情绪与感触，感觉到西湖美艳表象之下别有的另一番味道、禅味、凄美、忧伤以及脂粉之下的那一股浩气。

友人介绍，山谷幽清的清晨，是游灵隐的最佳时刻，正值如此，我披着薄薄的晨雾，唧啾鸟语中拜谒了这座华宇十大禅宗古刹之一的灵隐寺。几许漫步，渐渐地，暖和的春阳斜照下来，向地上洒下斑驳的光影，晨雾依依退散，人声次起，随着逐步地走进走近，感觉到一袭禅味便在这座有着一千六百多年历史的古寺漫卷开来。"仙灵归隐"，古寺因此名之，亦因此禅之。沿着飞来峰脚下的林荫小道缓缓而行，一侧溪涧流水潺潺，称之为"冷泉"，间有玲珑小瀑和幽碧浚潭。所过之处，或深凹的幽冥洞穴，或突兀的嶙峋危崖，刻塑有众多的佛像，据说，这座不算大的山峰雕刻有佛像达四百余尊之多。飞来峰对面是灵隐寺，巍峨的大雄宝殿等古建筑雄峙寺内，整座寺院依山傍水，气宇不凡。从正门入、侧门出，出寺后，冷泉亭翼然临于溪畔，小憩片刻，亭上两副字迹隽永洒脱的对联跃入眼帘，第一联："泉自几时冷起；峰从何处飞来"。立时心里一怔，仿佛一缕灵光瞬然闪亮心扉。再是第二联映入视线："水自冷时冷起；峰从飞处飞来"。两副对联非一人手笔，亦非出自同一朝代，然禅性心灵的呼应却是那么神交，那么契合。第一联设问，第二联作答，一问一答，妙趣横生。何为妙笔生花，何也豁然开朗，你懂的。原曾到陕北延安，闻听导游调侃"枣园无枣、富县不富"，不以为意。又联想到抵杭当晚饭局中，友人的幽默："断桥不断、孤山不孤、长桥不长"。还有施秉云台山的樱桃湾，山道弯弯，却既无樱桃亦无碧水。禅意、禅味为何物，是物质，是灵魂，是精神意念，还是冥冥中的某种机缘？社会与自然的虚虚实实，天与人的融通合一，"人人心中有、个个笔下无"，有些感念永远的缥缈着，岂不更好。当冷泉流动的汩汩声，当灵隐寺隐隐传来的晨钟声，穿透苍翠的密林、穿透闪烁的晨曦，破雾而来到我的耳畔，似乎又有一份明白，施耐庵选择六和塔为梁山好汉花和尚鲁智深圆寂之所，或许就是一种必然的因果了。

当我登临著名的雷峰塔时，初春朝阳的暖意已渐渐攀升，不过还是挟带着缕缕料峭的春寒。雷峰塔，在我的记忆里，尽管雄伟，尽管耸立于美丽的西子湖畔，尽管在胜迹族群的目录里声名赫赫，但与我的好感并不成正比例。小时，母亲摆白蛇娘子与许仙的爱情故事时，提到过它。后来看连环画，知道雷峰塔是爱管闲事的法海用来镇压白娘娘的。再后来上了中学，读鲁迅《论雷峰塔的倒掉》，对鲁迅幸灾乐祸于此塔的坍塌，觉得心情与文豪同样的舒爽。正如鲁迅所言"不那么绅士"。鲁迅笔下"我却见识过未倒的雷峰塔，破破烂烂地掩映于湖光山色之间"。当然，灰色的记忆，并不能黑屏雷峰塔本来的雄健与奇绝。现在的塔为原址重修，还在内安装了电梯，一派神采俊逸的气度。登临斯塔，极目四眺，但见波光回影，岚气绢缣，湖光山色悉收眼底。那一番登临览胜的意趣，还是存在的。

从塔顶步行到山脚，已有正午时分了，我们一行就近点食了当地几道美食后，四处溜达起来。山脚大门右侧有一潭碧阴阴的池水，池塘边的塑像吸引了游客的眼球，有不少游客特别是青年情侣依偎着摄影留念。我却不解，选择这么一个背景作纪念，取向如何？这是一尊白娘子与许仙撑雨伞互相搀扶下船的雕塑造型，这个造型固然惟妙惟肖，曾在连环画以及影视镜头中出现过，已深深烙印于我的脑海。信步池塘周边的林荫小径，春之气息，鸟之婉语，让人奔腾着一种时光倒流的思想冲动。千年等一回呵，白素贞修炼千年成精，到人间天堂杭州旅行，断桥邂逅，雨伞为媒，演绎了一出惊天动地的人妖之恋。然而这一出旷世爱情却被多事的法海横插一脚，美好的恋情被无端披上了悲怆忧伤。西湖流传着四大爱情故事，除了白娘娘与许仙而外，还有梁山伯与祝英台的故事，苏小小与阮郁、鲍仁的故事，陶师儿与书生王宣教的故事。这些故事都不约而同地以悲剧收场。四个故事有惊人的共同点，女主角丽质贤良、知书达礼，男主角都是才朗挥洒、卓尔不群的读书生，在强权与阴鸷的操控下，美好的梦被轻易捏碎。白娘娘还算好一点，在暗无天日的塔底下度过了无数个春秋，最终因孝子许仕林之功，重见天日，家人团聚。可恶的法海终因报应，躲进蟹壳里永远不能见到天日。梁祝殉情后，羽化成蝶，总算双宿双栖，凄凉，却亦还有一丝念想。陶王在后母的辣手下，殉情为一对冤魂，三魂渺渺，七魄幽幽，苦痛没有尽头。苏小小游戏人生于脂粉红楼，在盼望与失望的剧烈对撞中，燃尽了生命的红烛……美丽的湖光山色，冠绝天下的才子佳人，怎么美丽总是与悲催双生相栖，似乎成了必然呢。难道这就是事物的辩证法与相对论？

潭边遐思，凝视许仙与白娘娘的雕塑，感觉到了一种强烈得让人窒息的凄美，凄切的美太冷，渐暖的春阳怎么也冲淡不了那股冷意。实在难以消受。那就找寻一些浩气吧。

岳飞墓在哪里，武松墓在哪里，"西湖三杰"忠骨埋葬何处？

杭州西湖有三杰，宋朝岳飞、明朝于谦、明末张苍水，三个舍生忘死，保家卫国的民族英雄。

岳飞，精忠报国，气贯长虹，已是家喻户晓了。人们常调侃，一个成功的男人背后往往有一个贤良的女人。是的，岳飞身后这位伟大的女性是他的母亲，刻于他背上的四个大字"精忠报国"，催生了民族英雄"还我河山"的千古绝响、万年浩气，也驱动岳家军"壮志饥餐胡虏肉，笑谈渴饮匈奴血"，岳家军驾着长车，血战顽敌，直捣黄龙、收失旧河山指日可待了。可是，在这个时候，怪事来了，在一股强劲的阴毒之气护航下，十二道金牌来了，在中原父老乡亲呼天抢地的恸哭声中，瞬间熄灭了岳家军可昭天日的凛凛正气。赵构率他的智库，在深宫大院的灰暗灯光下，蓄谋暗算前方战场浴血鏖战的爱国将领，策划出了一出千古奇冤的闹剧"莫须有"。他们抓来岳飞，创新阴毒思路，严刑拷打，百般羞辱，杀害于风波亭，还抓来岳飞的儿子岳云和爱将张宪，将两个战功赫赫，威震敌胆的英雄百般折磨后腰斩。

来到岳飞庙前，总算有了解气的地方。"青山有幸埋忠骨，白铁无辜铸佞臣。"庙前四个佞屑赤裸上身跪于地面向忠良谢罪的塑像，让后人感到尽管历史已无法改写，然天日昭昭，奸臣绝不会有好的下场。与王氏不同的另三个塑像前则弥漫着永存的唾沫。有诗为证："人从宋后羞名桧，我到坟前愧姓秦。"到后来有人为岳飞昭雪时，时间已过去了三十多年。我想，跪于岳庙前，是否应加上赵构。"源洁则流清，行端则影正"，皇帝手握最高权杖，却内心雾霾重重，社会不能激浊扬清，赵构难辞其咎。

于谦，历史上以清廉著称，他两袖清风，文武双全，他的《石灰吟》是自己的心灵独白与品格写照："千锤万凿出深山，烈火焚烧只等闲。粉身碎骨浑不怕，留得清白在人间。"土木堡之变，大明王朝危如累卵，于谦率领军民发起北京保卫战，顽敌挟持英宗逼于谦就范，于谦以社稷为重君为轻，挫败敌人企图，挽救王朝于既倒。于谦匡时济世，赈济时艰，劳苦功高，然他太清廉，陋室空

堂，毫无余财，他"两袖清风朝天去，免得闾阎话短长"，根本不
屑于与奸宄们同流合污，又太耿介，痛斥时弊，毫不留情，被奸宄
们恨得心痒痒。忠良之后、四朝首辅台阁体创始人杨士奇领衔的
"三杨"主政时，有忠良庇护，尚能安全无虞，三杨离世后，危险
乃至死神一步步地向他逼来，他竟毫无警觉。到再后来英宗复辟得
手，把持至高无上的权杖，与石亨、徐有贞等奸臣一路合围，以
"意欲罪"杀死，待冤魂重见天日时，时光同样荏苒了三十年。

张苍水，抗清英雄，抵挡不住严峻的局势，为避免更多的伤
亡，只带了十几个属下隐居，却被叛徒告密，故而被擒。他拒绝
"跪而受戮"，选择了"坐而受刃"，万民哭送。算是求仁得仁。

徘徊在西湖三杰的陵墓前，心里老是涌出一位仁兄的小说《永
远逝去的朋友》中结束语三个字：很生气！

从媲美天堂的西湖归来，我明白了一个道理，美丽的华表之
下，还有另外的景象。

走近榕江食谱

榕江，是我的第二故乡，有四代人的榕江情结，也有难忘的食谱记忆。

在纷繁的美食系列中，榕江的美食可谓独树一帜。榕江的菜系在中华美食这个大家庭中又以特色鲜明而尤为夺目。有人说，多彩贵州，多彩在黔东南。就饮食而言，则多彩在榕江，这话一点也没有过分。

榕江自身的特殊性造就了多姿多彩的县域文化，尤以风味独具的饮食文化为代表。榕江最大的特殊性在于区位，榕江以"古榕参天与三江汇聚而得名"，三江分别为都柳江、寨蒿河、平永河，汇聚于杨家湾后统称为都柳江，收录一方风情一路欢歌而去，流向珠江，最终流向浩瀚的南海。发达的水系推动榕江航运的发展，进而推动了商业的繁荣，带来了人气、人脉，也带来了交流碰撞与互动融合，更带来了文化的多元，曾经辉煌一时的"八大会馆"便是实证。一个码头古镇有八个省的商贾云集，可以想见当年之人文荟萃、商业繁华之一斑。这就应该是榕江饮食特色浓郁的历史背景。

我国有八大菜系，取材、制作、风味各有不同，从味觉上看湘菜主辣，粤菜主甜，川菜辣中带麻等。而榕江菜系则兼收并蓄，博采众长，酸甜苦辣一概兼容，特色成就于有意与无意、自觉与不自觉间。以鱼类、瘪类、腌制类、家常小吃、粉制品（葛根粉、水芋粉、卷粉、漱粉）等最负盛名，也最具特色。榕江地处云高东南部，苗岭主峰雷公山南麓，雷公山乃长江与珠江两大水系之分界。吴越文化、荆楚文化溯浩浩荡荡的长江而上，经沅江入清水江在雷公山四周尽情吹拂，客家文化、桂北文化溯珠江入都柳江来到苗岭落户生根，多元文化共生共融，开花结果。这都可在榕江找到清晰的痕迹，这是榕江饮食丰富多彩的文化视角。

鱼类系列：腌鱼 烧鱼 鱼生

腌鱼，在东八县较为普遍。然而，同样是腌鱼，榕江的腌鱼却别具一格，又以寨蒿镇所产最具代表性。

寨蒿，是我家四代人的榕江情结的重要节点。祖父孤儿出身，祖父两岁时，太公及其兄弟，为了养家糊口，到清水江给木商打工放排，双双被惊涛骇浪夺走了年轻的生命，太奶为生存被迫下堂（改嫁）他乡，七岁时，房族爷崽将祖父接回，开始了他艰涩的人生路。艰难困苦中长大成人，一次偶然，寨蒿成了他人生的转折点。祖父有敏捷的商机意识，从寨蒿挑盐回乡贩卖，他的命运由此改写。某年秋，应邀到寨蒿农家开田吃鱼。是日，风朗气清，我站在雄峙于桥头的鼓楼上，寨蒿河千年流泻，奔腾不息，古码头边，轻舟画舫往来穿梭，八方商贾络绎不绝，往昔繁华的一幕幕在记忆的脑海里纷呈起来。一条蜿蜒于群山的小道向东而去，仿佛祖父负担的身影在崎岖山路上顽强地前行……正是因了这份情结，寨蒿也就成了我人生元素中怎么也挥之不去的一部分。也正如此，寨蒿腌鱼、烧鱼也就成了追思远古、凭吊先人不可或缺的载体。

寨蒿腌鱼，与其他地方似乎没有太大两样，仔细琢磨，却又独特。特在色鲜、味正、质纯、量产。又尤以打谷子时的田鱼腌制腌鱼最佳，因为此时的稻鱼在稻穗的养育下，丰腴肥美，臻于极致。一盘寨蒿腌鱼摆上餐桌，晶莹鲜艳的色泽一经跃入眼帘，舌尖上的味蕾会瞬间被激活。或以油文火煎熟，或煎熟后回锅与蒜苗、青椒、西红柿同炒，或炭火熏烤，是腌鱼的传统吃法。窃尤喜腌类，循全民创新万众创业之训诫，往往有"发明创造"，腌鱼火锅就是其一，被人高调推崇，也隆重入围"杨氏菜谱"，有过舌不忘之效。腌鱼火锅无须底料，将一块豆腐切成八块左右连同适量青椒毛辣果（西红柿）放入锅底，再将腌鱼三四条许放入覆盖，加少许清水与鱼持平，煮沸后以微火持续，撒上蒜苗即可开食。豆腐与腌鱼火锅乃绝配，香菇、动菌次之，尤豆腐断然乎不可或缺。而个大丰腴色鲜微甜的寨蒿腌鱼则为首选食材，我的冰箱里一年四季不断，腌鱼火锅也时常晤面。

烧鱼是南部侗族一道传之已久的特色菜肴，有鱼米之乡美誉的寨蒿自然有这道美食。一年四季，但凡有客人造访或节庆宴乐之际，宴席中少不了烧鱼这道美食。最闹热要数每年农历七月半开田捉鱼，气氛有些像过年前杀猪吃庖汤那样，有的干脆就称"鱼庖汤"。七月半开田为传统，主要为光和、增产计。开田前夕，亲朋好友三五成群，互相邀约，开田放水，捕捞田鱼。然后烧鱼煮鱼，大块吃鱼大碗喝酒。烧鱼时，只需将苦胆取出，用木条穿牢或粑架撑起，置诸烈焰后的炭火上，不断翻动至熟为止。鱼烤熟后食途有二。一乃凉拌，用辣椒、毛辣果、韭菜适量烧熟后切细，配以生姜末、葱苗、蒜泥、酱醋与烧鱼拌匀。我有时纳闷，有的凉拌要将整条上好的烧鱼插烂捣碎，吃起来感觉并不怎么好，不及整条或大块状更佳。原因不得而知。二乃火锅，依然如法炮制配料，整条烧鱼依次入锅，然后斟满米酒，吆五喝六，喧嚷入席，那种鱼香、那种情味极度诱人、感人。烧鱼固然特色，但更让人拍案叫绝之处在于下火锅的"时蔬"：音蒐草、剪刀菜！这两种野菜与水稻同步生长于水田，水稻营养的有力争夺者。一大锑盆的音蒐草、剪刀菜，在一片干云豪迈声中"灰飞烟灭"。我母亲还在世时的某年回家（大约是2003年），煮鱼时，仿效着用音蒐草、剪刀菜下火锅，母亲见状，惊诧莫名，再三扎咐（方言，交代阐明之意）那是喂猪的，我等大行"不孝"之道，依然故我，饕餮"猪食"。我告诉母亲现在城里就时兴这个，这个原生态，还几块一斤呢。她说猪肉才几块一斤，要喂好多盆才得一斤猪肉呵。对城里人与猪争食养料，而且是以高价去抢夺，母亲始终疑惑不解，甚是惋惜。现在，不但城里人，就是土著乡人也加入了与猪抢原生态养料的争夺战，战域范围也进一步扩大，南瓜藤、红苕藤、洋芋叶、生姜苔、折子根叶、草鞋板、野芹菜、刺棒头、霍麻癞……如勇尝百草的始祖神农显灵现世，一定会拍案叫绝，自叹弗如。

寨蒿一域，阡陌相连，山明水秀，民风淳朴，有悠久的稻田养鱼传统。稻田养鱼，作为农耕文明的一个重要方面，寨蒿很具有代表性。

鱼生也是榕江特色饮食之一绝。鱼生，意动用语，即生吃鱼、吃生鱼。初闻其名，好像有些不可思议，人类早就告别了茹毛饮血的年代。燧人钻木取火后，推动了人类文明大跨越。人类作为高等灵长动物，吃生肉早就成了历史，但也并未绝迹，如醉虾生吃、三文鱼生吃等，但也并不多见。生吃须杀菌，生吃醉虾、三文鱼用以芥末，榕江鱼生亦用芥末，在芥末未面世之前就已享用鱼生了，那时的杀菌用的是香油和醋。某君爱客，获大鱼一条，重达二十余斤，呼朋引伴共赴宴乐，席间各种菜肴琳琅满目，仔细一看食材全取之于那条大鱼。鱼头、鱼尾煲汤为火锅底料，鱼鳞、鱼刺油炸酥后取代花生以下酒，部分鱼肉下火锅，部分鱼肉炒制，部分鱼肉捏成鱼丸，鱼下水（内脏）或炒或汤，摆满一大桌。尤亮晶晶的鱼生最吸眼球、勾味蕾，将鱼肉切成薄片，用香油拌匀杀菌，其佐料折耳根（当地称为鱼腥草）切细、黄豆或花生捣碎，辅之以少许胡椒粉、食盐、葱花、姜末、蒜泥等拌匀，用钵盛于桌上，吃时，用筷子拈起鱼片，用醋稀释了的芥末浸泡再次杀菌后，卷包佐料即可享用。味道鲜美无腥味，有些呛鼻却有透气之效，实乃不可多得的特色美食。

另外，鱼的吃法还有许多种，或新鲜或煎炸或烘半干后制火锅，也颇具特色。原榕江客车站旁边有名叫张疤子开的酒店，专收各方野生河鱼，炸黄后下火锅，生意异常火爆。腌制的鱼仔，有的为蒿通（终身鱼仔般大、春季打田时捕捞），有的来源于山涧溪河的小鱼仔，腌至成熟，可直接生吃，味道不赖。

瘪类：牛瘪　羊瘪

牛瘪、羊瘪在黎从榕食谱系列中，名声十分响亮。

到苗乡侗寨做客，爱客的主人一般都会杀牛宰羊相待，但如无瘪，那将是一大憾事。牛瘪、羊瘪则指经胃肚消化后进入粉肠而未被吸收的食糜。为何叫瘪，无从查考。在羊瘪的发源地榕江县塔石乡履职过一段时间，问及一些父老乡亲，亦讲不出个所以然。不论如何，羊瘪、牛瘪这两道菜肴，因集饮食、文化、保健为一体而备受当地人喜爱，并已走出大山深处，为外界广为推崇，众多食客叹为观止，是不争之实。

瘪的制作十分讲究，也是牛瘪、羊瘪这两道食物中最核心的部分，相当于茅台酒的独门配方。一锅羊肉或牛肉，如瘪制作不佳，会让人败兴。制作瘪的工艺复杂，从过滤、呛治到正式出炉成底料，约有六道程序，其中垂油子（一种香料）必不可少。

对牛瘪和羊瘪，我钟情于羊瘪，主要基于牛和羊的饮食习惯。牛的食谱简单，且不太讲究卫生，大快朵颐路边青草，连草连泥一股脑儿地囫囵下肚，喝水也不避清浊。而羊刚好相反，食谱非常丰富，可谓五花八门，而且十分挑嘴，总是啃食树或草最尖嫩部分，这倒有点像人类采茶，善吸取日月天地精华，饮水时稍有混沌就生气不喝。羊瘪发端于榕江塔石，也以此地的羊瘪最味美、最正宗。塔石羊为香羊，以个小、清香、膻味轻、肉质细嫩而驰誉四方。羊瘪吃法的多样性也远胜于牛瘪，怎么多样法？在拙文《话说塔石香羊》中已有介绍，于此不再赘述。

某君奢食牛瘪、羊瘪，竟吃出了水平，突发奇想，既然牛瘪、羊瘪如此可口，能否如法炮制狗瘪、猪瘪或兔瘪、马瘪？猪和狗非食草动物，肯定不行，至于马瘪与兔瘪如何，我从未见过，此君之想法是否运用于实践，至今也未闻其详。

粉制系列：卷粉　濑粉　水芋粉　葛根粉

卷粉乃米粉的一种，顾名思义，将一张米粉切片，再卷起来食用，已入围黔东南"十佳特色"小吃。普天之下，人们吃的粉都是要么烫软要么凉拌后食用，为何榕江人要"多此一举"，非要卷起来吃？特就特在这个"卷"字。将粉皮切成大小适中的块状，再卷包佐料成条形，盛入或碗或钵，再适量倒入已配备就绪的汤汁、配料及葱花拌匀即可食用。卷内的佐料尤为讲究，有肉末、笋子、豆腐、香菇、莴笋与折耳根等食材。卷粉，能从视觉上传达出一种流畅的美感和神秘感，极易唤起人们的食欲，油然而生出一品究竟的冲动。

濑粉，"濑"乃方言，即烫之意，榕江、剑河县一带的常用方言，水沸腾到手不能触时，就会说"濑老火"而不是"烫得很"。濑粉的特色有四：纯手工烫制、原料为上乘大米、柔软黏性强、清香四溢。从磨粉、入锅到出炉成品，清一色手工制作，原料多为当地产的锡利贡米，这种米产量不高，却质地优良，曾是蜚声四方的贡品，以之制粉，其品质不容置疑，也因之柔和而又富有黏性。濑粉有种哨子独具特色，叫"香嘎"（嘎方言即肉），用整坨肥瘦相间的原生态猪肉炸黄炸香，再切成片状，香肉哨子为榕江所独有。每每食用，一股清幽幽的香味在咫尺间萦绕，那份惬意让人难以忘怀。我清楚地记得，古州镇场坝街一隅，有家开在一栋老木楼屋的濑粉店，最具代表性。我十年前在榕江工作，但凡未回凯里的周末清晨，登山、打篮球后，或陪客或与同事一同到此，点上一钵濑粉，有时兴致来了，温上一盅兑入生姜红糖的纯真的糯米酒，与同行一道啜饮闲聊，不时抬眼望向蜿蜒而去的青石板古街，以及街上挑着蔬果走动的行人……一晃十多年就过去了，不知那家濑粉店是否还在，是否还是那般模样？

水芋粉，也这是榕江一绝。水芋属芋科，水生草本，喜暖阳湿地。也有土植的，小时母亲曾在自留地种有两小厢，可惜不怎么会食用。水芋茎叶如芭蕉叶状，但略小，委以猪食。芋头也被贱用，多以烧吃。榕江则不然，晒干、磨粉，参照米粉做法制成水芋粉，品质、价值就都发生了质的飞跃。水芋粉呈紫砂色，烫软后呈玻璃色，晶莹剔透，吃法与濑粉大同小异，但味道却别具一格，滑润、柔韧、入口生津，余香满口。水芋粉还可以凉拌下酒。我的一双儿女尤其喜爱之，因此我的冰箱也就时常出现。

至于葛根粉，当你有幸品尝，那就不得不佩服榕江人在吃上的创新思维与实践能力。葛根是个宝物，能降血压、降血脂，蛋白质丰富，据说还有解酒之功效，尤其是葛根花最佳。父亲一生从未醉酒，除了他平生谨慎外，可能还与他谙熟葛根有解酒之效有关，小时见他每到别家吃饭或自家做东请客，都要先吃几片葛根才举杯对饮。他将这一绝学也传给了我，可我每每与好友畅饮时，总有作弊负疚之意，因而食用少之又少，总以"愿伤身体而不愿伤感情"来自勉自励，但醉到极限回家时，不忘用葛根粉或花蕊泡水解渴，舒缓脉络，缓解酒后的苦楚，这是另话。榕江人从拓展领域、延长产业链的高度，推动产业产品向中高端迈进，创新出了"葛根粉"，其实不叫粉，而叫"葛根面条"。某次榕江友人捎带来一盒，熟食后，果然非比寻常。超市食品柜上的面条制品，琳琅满目，荞麦面条、玉米面条等深受青睐，感觉相比之下，榕江"葛根粉（面条）"要更胜一筹。

时令三绝：豆腐笋　枸地芽　辣不怕

贵州是一个唯一没有平原支撑的省份，却在九山半水之间，散落着一些平地，俗称"坝子"，像榕江车江万亩大坝就是其中之一，不可多得。肥沃的土壤、勤劳的人民、湿润的亚热带雨林气候，造就了丰饶的物产，为榕江食谱提供了既丰富又优质的食材，一年四季时蔬不断，让人目不暇接。时令三绝：豆腐笋、枸地芽、腌生辣子就取之于此。

豆腐笋，非竹笋，而是指莴笋，与一般常见的莴笋又有所不同，有的地方叫莴苣菜。无杆茎，叶片微卷，柔软、细嫩、清脆。春夏期间，上桌率颇高，尤其在清明节前后为宴席必备。榕江人用莴笋叶包卷佐料生吃。佐料成分为粒状竹笋、腊肉、莴笋、干豆腐、鸡蛋、酸菜以及少量姜末、葱花等，少者五六种，多则十几种。什么叫余香满口，什么叫意犹未尽，豆腐笋可以给出最满意的答案。这道菜肴让人想到了一副对联："稻草束秧父系子，竹篮提笋母怀儿。"

枸地芽，木本，为野生，山野路旁比比皆是，可食药两用，春夏期间尤多。摘取抽薹嫩芽食用，有清肺降火之功效，可焗炒，可凉拌，与鸡或鸭蛋煲汤最佳。口腔生疮，嘴角起泡，内火旺者，食用枸地芽煨鸭蛋汤，效果立竿见影。

"怕不辣"即腌生辣子，有青椒季节，一碗"青格郎当"（方言青涩）的凉拌辣子出现餐桌，着实会让一些人惊悚不已。但确实又是榕江的特色小吃。以之下酒，烈上加烈，食客往往挥汗如雨，还有一种堪称奇葩的"怕不辣"——辣椒炒辣椒，"本是同根生，相煎何太急"，真让人拍案叫绝。据说辣椒为舶来品，到我国大约有四百多年了，最初为观赏或染用，最早入食菜肴为贵州人，贵州、湖南、四川位居国人食辣前三名，分别号称为怕不辣、辣不怕、不怕辣，以怕不辣境界最高。榕江，完全可以凭借这道腌生菜肴为贵州稳拥这一殊荣。

腌生种种

　　腌生，即凉拌，也是榕江人喜爱菜肴，但一般居于配角。种类众多，诸如黄瓜、毛辣果（西红柿）、莴笋、海带、酸菜、木耳、花生、血旺、红肉、折耳根、青椒、蒜苗、醋血辣子等，有人工种植，有天然野生，不胜枚举。有单一腌生，亦有多种大杂烩凉拌。一二道主菜闪亮登场后，林林总总的腌生点缀席间，一桌宴席会顿时由骨感而丰满起来。

　　红肉、醋血辣子与生血有关，尤值一提。红肉介于生与熟之间，取新鲜瘦猪肉，煮或烤熟（以烤居多），用槽头血生拌之，辅之米醋、食盐、姜末、葱花。食用时，看似"茹毛饮血"状，实则鲜嫩可口，还会或多或少地激发人的豪沛气概。

　　醋血辣子，发源于榕江，现已盛行于东八县。血旺至关重要，必定为土鸡活血，配醋等调料，味道其鲜无比。有则故事，某领导生活简朴，不太讲究饮食，尤对醋血辣子情有独钟。某次深入偏远乡村调研，贫困现状激发了他的忧民情怀，特别要求晚餐务求简约，一碗醋血辣子足矣。引来后人一哂，却也旁证此道菜肴的名气与地位。

　　榕江还有许多特色小吃，有名的以及尚未命名的众多小吃达数百个之多，上述仅冰山一角而已。

　　榕江人慷慨大方，热情好客，宾朋盈门时，会倾其所有，从不夹带藏掖。榕江人能吃会吃，能吃非脑满肠肥、大腹便便之意，指的是大方舍得。会吃即善吃，在吃上有惊人的创新觉悟，吃法五花八门，花样翻新，还不断与时俱进，别出心裁。走进每个家庭，女主人不但美丽贤淑、热情好客，还都烧得一手好菜，无论做客同事还是农家，精巧特色的菜肴徐徐闪亮登场，让你不醉都不行。

南国季风，裹挟着江南的细雨扬花，溯风光旖旎的都柳江而上，泼洒到榕江的山水丛林、原野田庄时，各种时令水果、蔬菜、食材便层出不穷，各种各样的"吃"便五彩缤纷起来。能否择机走进榕江，走近榕江食谱，就看各人的机缘了。

真情守望

一年一度的七夕又到了。这天的傍晚，我独自坐在阳台上，欣赏窗户内外的风景。

我在根雕茶几上沏上一壶香茶，然后静静地一边抽烟、品茗，一边欣赏身边的风景，突然发现这一隅小天地的风景是这样的美妙，朝夕相伴，却未能去做心灵的会意，真是有些浪费了。户内的油茶、桂花、月季、三角梅、夜来香、玉树等，经一个盛夏的任性成长，已然蓬蓬勃勃，片片浓荫；南瓜藤、薯藤、竹节草、吊兰自由自在地在瓷盆花钵之间绕来绕去；还有三钵竹子又分别长出了两棵新笋，老枝新芽盘根错节，昂然卓立。绽放的三角梅在夕阳下盎然殷红，如红盘乍涌，尤为灿烂夺目。黄昏的霞光透过窗户映照在扶疏的青枝绿叶上，往地面洒下婆娑的光影，使这个独自的宁静的小天地里平添了几许灵动。

循着从窗内逐步抽离的霞光向户外眺望，远方的如黛群山在晚霞中肃穆静立，一派"万壑有声含晚籁，数峰无语立斜阳"的韵致。渐渐地，晚霞的光泽由彤红而浅黄，而灰色，阳台的光线逐渐暗淡，在夕阳收走最后一缕霞光和华灯倏然闪亮相交替的那一刹那，我的心境却平静不下来了。

七夕，这个既浪漫又密布悲情的日子。曾记得，很小的时候，每每这个节日来临，人世间的诸般温情便会在家乡的上空活泛起来。牛郎织女相会鹊桥的故事在家乡的火塘边、凉亭坳、木头堆上被人们娓娓叙述。夜幕完全拉开，苍穹便向人们敞开浩瀚无垠的大舞台，穹窿上的繁星眨巴着，似对着人们微笑。夜空愈来愈暗，星星却愈来愈亮。动人的压轴戏登场了，天上无数的鹊鸟蹁跹飞翔，霎时搭成了一座无与伦比的美丽的虹形桥梁，牛郎董永和织女走上鹊桥中央，相会了，美丽的激动人心的一幕瞬间定格。为了这一瞬，他们又历经了三百六十天的企盼，饱受难以言说的守望之痛。为了这个七夕欢喜着，又悲伤着。这天过后，接下来的又将轮回寒来暑往掏心剜骨的相思守望之痛。

孩提的这个时刻，除了为有情人的相会而喜出望外，最喜欢做的就是一厢情愿地与繁星互动，手托双腮数天上星星，"一颗星、两颗星、三颗星……"奶奶说谁能数到二十四颗星就会成为"好人"，数完了，带着"好人"的憧憬进入梦乡。睡梦中，自己成了好人，这个好人对男孩来说即是董永，对女孩来说即是织女，在梦想中能结下仙缘，做一对神仙眷属。少不更事，哪里明白这个美梦有多么的遥远。鹊桥会是超越时空、恒久不变的守望，正是这种遥遥无期却又留下未来的守望，尽管悲切，却又让世人无限地憧憬、着迷。"银烛秋光冷画屏，轻罗小扇扑流萤。天街夜色凉如水，坐看牵牛织女星。"

造物主在缔造天地万物时，总是赋予了两重性。喜总是依附上缕缕的忧，美丽总是添加上些许的伤情。我眺望窗外的远山，循着走过的来路回首时，那一幕幕守望着的黄页徐徐翻开，让人万分感慨。幼时，母亲在我的耳畔反复说着牛郎织女、梁祝的故事，还有千年等一回的许仙与白娘子的故事以及孟姜女哭倒万里长城的故事。当年在诉说七夕伤情时，男耕女织，人生美满，慈祥的目光抚慰着自己的儿子，溢焕着美好的期冀。当然这期冀总是有些矛盾的。告别了小学生涯，离开父母到乡里就读初中，虽谈不上远离，却是母子别离苦痛的初始尝试。后来随着人生的演绎，渐行渐远，虽不是远隔万水千山，一年的相聚却是很难，别离之痛一直在心里深深地盘踞。那一段乡间小道就是一个见证。从家里外出必经的那段路程沉淀了太多的温馨和苦涩。从家门口下几道石级盘桓过大路、把正坳再爬上盘路角再转入浸水湾后，寨子就完全被大山隐身于后了，一次在转弯的那一瞬间，乡情亲情的惯性驱动，我回眸一望，只见母亲仍然站在低矮的屋檐下向我眺望，那一瞬我鼻子发酸，永远定格于记忆深处的相册里，这张人生最美丽的册页被无数次地翻拍，直到她2006年作古天堂了才卷轴心案。儿女外出求学，每一次火车站、飞机场、校园门口的挥手告别，都会有意无意地把思绪切换到那低矮的屋檐下、那弯弯的小道上。纵然外面倾世繁华，也比不得家乡那低矮的屋檐和那蜿蜒的小道，因为有母亲那矮小瘦削却又无比高大的身体永远矗立在那里，有母亲那慈祥永远的目光守望着儿孙们平安归来。

每次回家，我入寝的那间小房是母亲最不忍离开的地方。无数个清晨或午夜，母亲总是以各种理由走进那间狭窄的小房间，出出进进，徘徊又徘徊，找五谷种子、找劳作家什是她逗留出进时用得最多的最好托词，她要找的这些东西全都存放在另一间小房。多少次了，我暗自晒笑，笑她不会说"谎"。她曾多次暗示我未来的择业，她说世间上最好的三种职业是教师、医生、邮差，邮差信使传递人间真情，两方交战时如有邮差经过都要停火放行，医生白衣天使救死扶伤，老师教书育人，她未能说出天底下最辉煌事业、人类灵魂工程师这样华丽的词语，却坚定着这三种职业的好。当中又首推老师，期望我执鞭于三尺讲台，理由很是简单，"天地君亲师位"，老师是上神龛的，最根本的还是一年有两个假期，有更多时间回家。我没有遵从，但从来也没有忘记。大哥二哥的过早离去，已耗尽了她的承受力。孤儿出生，仅上过几年私塾的母亲有时考验我们，孩提时，有一次我与二哥为了一桩小事而发生口角，兄弟俩差点诉诸行武，母亲见状立时出了一个字谜："横起一笔长，撇笔飘南洋，月字去垫底，日字来坐堂，大字来解交，头上起个包。"即厌的繁体（厭）。月和日就兄弟姐妹，要团结相守才组成一个美好的明字，才明白才明亮才清明。兄弟俩相觑而笑。她讲清代纪晓岚的对联故事，"十口心思，思妻思子思父母；言身寸谢，谢天谢地谢君王。"也被母亲无数次地在我们耳畔重温。为我们纳鞋底念孟郊的诗："慈母手中线，游子身上衣。临行密密缝，意恐迟迟归。谁言寸草心，报得三春晖。"《常回家看看》这支歌，从录音机响起，她听了一遍还想听一遍。到我的人生年轮渐次驶入中老年的队列时，不时总是不自觉地重温，还不自觉地继承了母亲过往的精神遗产，儿女离开后的房间仿佛始终在弥漫着他们的体温，收藏着他们的欢声笑语，不留神地走进，拷贝那一幕又一幕。时光无情地苍老着我们的容颜，也无私地积蓄着长相守望着的人间温情。

鹊桥相会、西湖续缘、化蝶而舞，这些神话传说的守候凄美绝伦，缠绵悱恻，让世人去遐想去苦痛。现实中人类也有被命运导演出的数不清的无奈守望，有"孔雀东南飞、五里徘徊"的绝望之痛，有"君问归期未有期，巴山夜雨涨秋池。何当共剪西窗烛，却话巴山夜雨时"的期盼之痛,有"相见时难别亦难"的无助之痛,有"商人重利轻别离"的无奈之痛,更有"十年生死两茫茫"的剜骨之痛。这些的痛里似乎都有一个可怕的背影?"唧唧复唧唧"中有一双戾气的眼注视着,耕织人生被梭子划上无情的距离,为了名利有些人成了金钱的奴隶……二十世纪七十年代中期,苏冠兰与丁洁琼生离死别,浩瀚的太平洋无情地阻隔了几十年,重逢后的第二次握手时,守望着的命运已无法改写,但他们在无奈无助中却找寻到了更高境界的可歌可泣的守望,把不可逆转命运的切肤之痛转化为了祖国强盛而携手并肩,联袂攻坚的力量,这较之那些优美悲催的传说就更美了。

《槐园梦忆》,精彩的现代悼亡名作,叙述梁实秋夫妻从相识到结为连理、到饱经战火硝烟的离乱、到即将终归尘土的一生,洋洋数万言,文笔舒畅,故事动人心弦。每次拜读,每次震撼,震撼来自他与他的夫人程季淑的约定,面对死亡的约定。岁月不饶人,我们两个都垂垂老矣。我们不讳言死,相反的,还常谈论到这件事。季淑说我们已经偕老,没有遗憾,但愿有一天我们能够口里喊着一二三,然后一起同时死去。这是太大的奢望,恐怕总要有一个先后。先死者幸福,后死者苦痛。她说她愿先死,我说我愿先死。可是略加思索,我改变主张。我说那后死者的苦痛还是让我来承当吧!她谆谆地叮嘱我说,万一她先我而化,我需要怎样的照顾自己,诸如工作的时间不要太长,补充的药物不要间断,散步必须持之以恒,甜食不可贪恋……当他们两位老人"手拉着手走下山去",不久后季淑死于一次意外,兑现了那份伟大的约定,在极痛苦的最后一刻还给他留下了一份美丽的微笑。茕然一鳏的梁实秋承当着这样的苦痛:我像棵树,突然一声霹雳,电火殛毁了半劈的树干，还剩下半株，有枝有叶，还活着，但是生意尽矣。两个人手拉着手地走下山，一个突然倒下去，另一个只好踉踉跄跄地独自继续他的旅途。槐园是处于美国西部城市西雅图北端的一座陵园，在季淑死后的一段日子里，留守的老人踉踉跄跄地行走在槐园里及通往的小路上，每一件季淑生前关注的事情的变化，都要去那里告慰……

南宋赵与时《宾退录》有云："读诸葛孔明《出师表》不堕泪者，其人必不忠也；读李令伯《陈情表》而不堕泪者，其人必不孝也；读韩退之《祭十二郎文》而不堕泪者，其人必不友也。"

守望是嵌入生命与灵魂的情感，一种内化于心外化于行的无私的大爱。守望没有要与不要的问题，也没有给与不给的问题。人生一世，犹如打个转身，要么擦肩而过，要么转身回眸，嫣然一笑，那一瞬间的笑靥就铸造了永恒的守望。

回乡　回家

披着缕缕和风，徜徉在太拥河畔。美丽的太拥河从雷公山麓出发，一路奔突，一路欢歌。

正月初五，是太拥村父母、兄弟、姐妹们团圆的日子！是亲人欢聚一堂、畅所欲言、开怀畅饮、纵情高歌的日子！一曲曲飞歌在太拥村大街小巷委婉逸动，宛如绝响，掠过河面，越过山岗，似在娓娓诉说。

这一天，是太拥村人幸福的日子。因为这一天，姑妈们回家，回娘家来啦！是亲情、乡情的呼唤，珠三角、长三角、四面八方的姑妈们，怀着对故园的一往情深，千里万里，一路舟车劳顿，风雨兼程而来。这一天，太拥人的脸上都洋溢着幸福的笑容。他们激动着、兴奋着，逢人问好，拉叙家常，追忆过往。有的诉说衷肠而泪流满面，有的互拥笑声一片……

我登上一个山岗，循声望去，只见着装职业、精神抖擞的乐队，奏起激昂喜庆的乐曲，正率领着一支二百多位身着盛装、花枝招展、各自彰显着靓丽的姑妈们的队伍，她们挑着鸡鸭鱼肉、糖果糍粑……浩浩荡荡如一字长龙迤逦而行，朝太拥的寨门踏歌而去！

姑妈们揣着无尽的乡愁，领着孩子，带着姑爷，催促着匆匆的脚步回娘家拜年、感恩来了！她们要寻回往昔芳华，找寻往日的记忆。

这是一支生动的队伍。年长者已过耄耋之年，年轻的正值人生芳华，年龄跨度近一个花甲。无论是了桃李年华，还是风霜染白双鬓，他们的脸上都写满了幸福的笑意。

中午，村庄中央篮球场上，鞭炮齐鸣，火光冲天，这是最隆重的礼赞。随着悠扬的芦笙，姑妈姑爷们欢快地跳起来，舅妈舅爷们深情地唱起来！长桌宴摆起来，酒杯举起来！笙歌悠悠，河水潺潺，田园农舍，歌声、笑声在村庄上空萦绕回荡，经久不息。整个村庄如一个大家庭，四世同堂，相聚一堂，共品那一杯杯浓浓的故乡情。山在欢，水在笑，太拥村已沉浸在一片美好中。

欢迎姑妈回娘家的文艺晚会，与夜幕一同拉开帷幕。这是一台很不错的晚会，二十多个节目，姑妈们从不同形式、不同角度，抒发对故园的感恩之心、眷恋之情。舅妈们表演的广场舞《好日子》喜庆，欢腾；《水月亮》柔美舒畅，如醉如痴；苗话对唱的情歌，沁人心扉。快板《杀赌风促和谐》和三句半《希望都有幸福家》倡导乡风文明、健康向上。姑妈们当然也是有备而来的，感恩父老乡亲是她们这次活动的宗旨，一首《常回家看看》小合唱，唱得不仅情动了自己，还在乡亲父老心海中泛起了乡情的涟漪。舞台最高潮的要数姑妈们的旗袍走秀《我要去剑河》了，舞台上的姑妈们以她们最靓丽、最柔美的一面来展示给家乡父老，让父母知道，她们的身上不仅有太拥人的善良，还多才多艺、健康阳光。一场走秀下来，掌声雷鸣，久久地回荡在太拥村的夜空。蹁跹的舞、悠扬的歌，酣畅淋漓地传达着人间的至真至情。这台地气十足的晚会，如一轴历史画卷徐徐展开，让我们能触摸到这片古老土地的历史，让我们深切地感受到这块热土的温度。

入夜，带着笑靥，枕着太拥河的涛声入梦，娘家的怀抱依然是那么温暖。

岁月不居，乡情依旧。

姑妈们相约，明年、后年，我们再度牵手太拥河畔。

我在大连看大海

2017年初秋，我的足迹再次踏上大东北辽阔的白山黑水。上一次出行乃公务，这一次为私事，送儿子到大连上大学。相隔已有七年，此次儿子金榜题名，企盼他遨游学海、学有所成，因而一路心情阳光。

出门的时间是2017年8月28日，刚好是传统节日七夕，这是一个浪漫的日子。这天清晨，天蒙蒙亮，就出发了。这是儿子真正意义上的第一次出远门，他曾随母亲、外公外婆到过北京、上海，但与此次完全不一样，告别少年，该展翅了。当我提着行李离开家门那一瞬，心中咯噔了一下，有一种说不出的滋味。他母亲临出门前亦不忘向神龛上了一炷香。我想起了当年我上大学的情形，母亲站在屋檐下目送我离开直至消失在山道的尽头，那天也是有阳光的日子，泪花在秋阳中闪着微光，那微光一直照着我的心路，那场景至今都没有忘怀。乘坐的是K726次由昆明直达哈尔滨的特快列车，之所以选择火车，而不是飞机或动车，主要目的是想要饱览祖国的大好河山。火车票是由闺女迪迪网购的。"呜……"汽笛一声长鸣，在"哐当哐当"中，我们一家随着火车驶向辽阔的神州大地，云贵高原、荆楚大地、华北平原……。一路天公作美，阳光明媚，为我们的旅途增添了光彩，充满了好奇和惊喜。我也是很久没有这么静下心来，品味这些山河之美了。前些年月，一年四季地南来北往，有时竟像"空中飞人"，来去匆匆，诸多的名山大川与我擦肩而过。这次一家人，在儿子金榜题名的背景下，耳濡目染祖国大江南北的日新月异，倒是别有一番意趣。一路上，大江南北秋天景物，还没有呈现出太大的差异，或许是由南到北快进的缘故所产生的视觉惯性吧。只不过夹着一股寒意的秋凉已拂上大东北，与列车员的攀谈中，黑龙江的北极村已迎来了今年第一场雪。到沈阳转乘动车前往大连，到沈阳站时值早上，我们出站溜达了一下，感觉到北方的秋凉更深刻了。站旁吃了碗热乎乎的牛肉拉面，暖和了身子，然后回到候车厅，我无例外地光顾了下书店，并买了一本散文集。到大连时已是下午了，距大学驻地旅顺口尚需一个小时左右的车程，于是为了方便选乘出租车。定位导航，顺利抵达事先定好下榻的酒店。

酒店坐落在学校东面的小区内，小区规划优美，名字叫蓝湾，这真是一个诗与远方、诗与梦的意境。电梯楼与独栋别墅相结合，楼阁玲珑，高低错落有致，一条小河从中蜿蜒曲折而去，回廊相连，曲径通幽，整个布局有些天上北斗的意味。尤其是我们的房间位于二十几楼，面向大海。依窗远眺，万顷碧波奔来眼底，各路景色皆纳胸中。酒店为居家式，也是由迪迪与儿子商议网订的，里面完全按照家庭模式陈设，生活的起居一派家味。稍事洗漱后，一家三口踏着大连的阳光，奔向大海。大连你好，我们来了！秋阳下的海滩和煦、明澈、碧波荡漾，"秋水共长天一色"也就这个样子了。跋水、捡石头、拍照，敞开胸怀拥抱大海。我照了组图片，微向光阴故事群，题为"我在大连看大海"，朋友回应"我在西北钻山沟"，他是与妻女在苍凉的祁连山、千里戈壁徜徉。我凝视辽阔的海面，大东北与大西北迢遥数千里，友人间的心灵沟通瞬息即至，感到无比温馨。

回来的路上，摞回了大包小包的生活用品，果蔬、罐头、鸡蛋、米面、酱醋之类。洗锅刷碗，淘米煮饭，打火炒菜，三人下厨分工协作，平常的一餐饭在异域他乡有序展开。晚上八时许，我们的第一餐晚饭在窗外的波涛声陪伴下开吃了，唯有的遗憾是闺女迪迪缺席。这一餐饭的味道太不一样，凯里的人间烟火已点燃在大连了。

离9月1日报名还有三天时间。我们得好好规划快乐的大连之旅。第一天，小雨转晴游大连市，先游星海广场，这是当时亚洲最大的广场，因天气之故吧，游人不是很多，约十二时，就近午餐。接着游览海滨公园，在这里没有留下太深刻的印象。下午四时许，打的做客省政府驻大连办事处。与李成喜兄相交多年，颇有些机缘，他原在省机关供职，我在工作上与之有所交结，后他调大连，只因各自繁忙而少了往来。填儿子志愿那天，君智一大早就来关心儿子的录取，琢磨了一整天，锁定并如愿大连外国语大学，网录灯闪亮后，成喜兄的名字自觉地跳进我脑海，当即与他通了电话，相约大连见。他盛情接待了我们一家，一席丰盛的家宴，弥漫着友谊地久天长的过去时、现在时以及未来时。席终了，带微醺酒意，领略大连星海湾大桥夜景，白天星海广场的恢宏与晚上跨海大桥的雄姿，让人震撼。沿海滨高速返回旅顺，到蓝湾已是十点过了。

儿子长得高大帅气、生性单纯。他母亲总是有些放心不下，这样千叮咛，那般万嘱咐，好像回归到了当年的幼教生涯，儿子在她眼里永远都是没有长大。嘿嘿，这倒像极了当年我的母亲。儿子，不管长得有多大，在母亲的眼里永远都是长不大的孩子，这是天底下无须论证的真理。我也不甚放心，凡事都要交代并重复一二三，有时还引经据典，以加强说服力，希望他记得住，我们好放心。而他对我更不放心，总以为我不太会说话，比如购物、打车，我用普通话联系衔接，他便着急得不得了。超市购物，他便像外交官接见外国使节一样，为我整衣冠当翻译，很多次了我一旦开口说话，他都争先恐后地接过话茬，俨然成了我对外沟通的代言人，唯恐我哪句普通话说得不好。他特别反感我喝酒，总是千嘱咐万叮咛，千万千万别再喝酒伤身体了。

为了加持外围的正能量，我以旅顺为圆心，向外搜寻人脉，除了成喜兄外，杨秀林女儿杨玉如在沈阳，侄辈亲戚韦琼儿子在就读另一所大学，尤其是获悉懂达房族爷崽杨永祥在大连，让我喜出望外。永祥系当年老家队干杨长培（我们喊三哥）的长子，二十世纪七十年代入伍云南，衔至正团级，退役后到江苏徐州，后调大连建筑公司，已退休赋闲多年。旅居大连数日，未曾谋面，但有电话交流，他依旧豪气不改，乡土情怀备至。大二后，我叮嘱儿子拜访，果然热情有加，周到至极，完全不改懂达房族爷崽初心。

后两日，天气依然不错。我们游了日俄监狱博物馆、胜利塔、关东军大本营、白玉塔、旅顺口等，在海滨沐浴海风、阳光，还光顾了海鲜特色商场。租车形式出行，师傅姓刘，热忱、坦率、易沟通，他储备有很多"干货"，历史的、现代的，当地的风土人情、历史巨变等，我们交流甚佳，倒是意外收获。但他保持有一丝警惕，一旦触及敏感话题便缄口不言。除监狱、大本营、白玉塔外，其他地方都是爽意与阳光伴着同行，不知不觉中三天就悄然过去了。

9月1日，无疑是让人心跳加速的一天。陪同儿子报名开学。让我喜极的是，闺女那边喜讯传来，报名上班。一双儿女，同一天迈进大学的门槛，一个进大学深造，一个进大学当老师。无论怎样，双喜临门，天赐祥瑞，喜之尤甚也。我想起了当年母亲送别我那一幕，当时门前桃子树上喜鹊一大早就欢快地叫个不停，灵鹊报喜，莫非是先祖有灵，先知先觉，将当年的祥瑞映兆在了当下？冥冥中仿佛一股股跨越时空的正能量拂面而来，萦绕在儿孙后代身上，看来正能量永远没有过时，永远在路上。如此念想，那悬着的心放了下许多。人在旅途，未必凡事都顺风顺水，难免会遇到一些挫折，因为生命本身就是一个不断砥砺前行的过程，砥砺、历经风雨的人生才更丰富更精彩。得到上苍的眷顾，感恩之心那就是必需的了。当时我就对两姐弟讲，作为学生勤奋好学，作为老师为人师表，就是最大的感恩。我们还重温了几句古训，"业精于勤荒于嬉，行成于思毁于随""书山有路勤为径，学海无涯苦作舟""天行健君子以自强不息，地势坤君子以厚德载物"，以此延续正能量，倒是一个不错的选择。

大连外国语大学，已走过了五十多个春秋。校园先市区，而后迁徙旅顺口，濒临大海。校园景致清雅和谐，美得不可方物。我到过厦门大学，单论风物二者倒是有得一比，大连、厦门同属计划单列市，一北一南，连大学亦是如此匹配。一路走来，风光无限，业绩辉煌如同校园景色般美好。因而报考者十分踊跃，因大连对口帮扶贵州六盘水市，向贵州扩招，由原来的几个名额扩大到数十上百名，我们今年属于受益者。

学校考虑得很周到，有一个策划非常人性，让我深切体会到了身处异域的归属感，学长制，安排上一年进校的学兄学姐为新生入学服务、引路、咨询、释疑解惑，既便捷又温馨，无论学生还是家长不用多久便融入了这个大学，成了其中的一员，洋溢着人文关怀。学姐姓张，与儿子同年略长半岁，他们半个多月前就已电话对接沟通了，庆幸的是她还是贵阳人，老乡，无形中又把我们的距离拉近了不少。网络时代，导航仪不可或缺，张学姐就像一个称职全能的导航仪，活泼、健谈、热心，开口说话总是笑意盈盈，这两天的大外之行，因她而生动着、快乐着。9月1日，上午报名、办理入校手续。还到食堂体验了一下大学生活，质量比我们那个年代好得太多，菜肴丰富，琳琅满目，来自四面八方的学子都可以找到适合自己的口味。下午购买生活用品、整理床位。2日上午在特色饮食一条街小坐，继续与张学姐沟通交流，接着游览校园。游着游着，各种情绪交织起来。大学四年，是人生中最美好的时光，无忧无虑，尽情地在知识的海洋里遨游，对我们这代人而言已是一去不复返了。2008年，女儿考入上海大学，我送她入学，九年过去了，而今已是雪染双鬓，满脸沧桑。一莘莘学子，欢声笑语，阳光灿烂地从身边走过，我羡慕、祝福，我也感伤人生易老、韶华难留。

目送儿子走进教室了，才怅然若失地回到酒店。我发现了一个小动作，儿子的母亲在回酒店的路上老是回望来路，站在房间老是遥望窗外，目光是一直投向学校的，甚至晚饭也不吃了，坐在沙发上发呆、自言自语。

儿子已开始了大学生活，我们也该打道回程了。返回乘北航中午起飞的飞机，经停南京。票也是早就定好了的。网约出租车，次日酒店楼下会合。第二天孩子妈"变卦"了，非要到学校门口会合。我先下楼结账，等了良久也未见她下楼，多次催促才姗姗而来，下来了又折回去，生怕有什么遗漏在了房间。从酒店拖着拉杆箱前往学校，以溜达的形式漫步前行，因为几次往返，路上已留下了我们的离愁别绪。彳亍而行，取景拍照，在即将离去的时刻，要捕捉住美好的每一个刹那。"旅途平顺"四个字跃入眼帘，几次经过都没有发现，儿子妈迅速抓拍，在作别的前奏看到四字并迅速抓拍，以图片存储，视觉传达以恒之永远，难道这又是巧合？学校门口，我们先驾驶员到，距如约时间尚有半小时，她徘徊开来了，在大门口进去了又出来，出来了又进去，数不清有多少个进出。面向大门左侧，巨石上书写印刻蓝色的校名，字体厚重，笔力苍劲，蓝色当然寓意的是蔚蓝色的大海，苍茫的大海与无垠的长空一派湛蓝，那是"海阔凭鱼跃，天高任鸟飞"的立意呵。昨天在此合影留念，她笑得最是开心，笑得阳光灿烂，甚至笑得有些夸张，而此时却愁云密布，久久凝视，似要将目光定格在那里了。光阴是流逝的，能固化的只有光圈与快门，该留下的都已留下了。我跟她说，梁园虽好而非久恋之地，走吧，那是孩子们的世界。时钟已经催促，离开的时间到了。嘭的一声，车门关上，我们踏上归途。

　　不知怎的，飞机扶摇直上时，突然悬空失落之感逆袭而来，这是从未有过的。飞机上，翻阅《傅雷家书》，读到了一段让我心惊肉跳的文字："车一开动，大家都变成了泪人儿，呆呆地直立在月台上，待到冗长列车全部出了站方始回身。但在回家的三轮上，个个都止不住流泪。昨天一夜我们都没睡好，时时刻刻惊醒。今天睡午觉，刚刚蒙眬阖眼，又是心惊肉跳地醒了。昨夜月台上的滋味，多少年来没尝到了，胸口抽痛，胃里难过。今儿一天好像大病之后，一点劲都没有。妈妈随时随地都想哭，眼睛已经肿得不像样子了，干得发痛了，还是忍不住要哭……"这是傅雷先生描写一家人送别儿子的场景。相见时难别亦难，这是人性的弱点，也是人类至真之情的折射呵！

我暗自欣慰，在海滩捡来了一大堆石头。家乡有落梦一说，人受惊了或过度迷恋某一地方，易把魂魄丢落了，要捡石头一块带回来，这石头是魂魄附身之物。孩子妈的举动看似反常，实际上正常得很，是母爱的真实流露而已。这有个比例，越反常越表明爱之愈深，反常与母爱是成正比例的。好在窃有先见之明，捡到的石头，或大或小，晶莹剔透，色彩斑斓。

经停南京时，获悉贵阳小姨向小铃接机，便到小超市购买香烟一条。大伯（即大岳父）闻讯而来，小铃家中，两人把盏对饮，尤为欢畅。我与大伯颇是投缘，因"三观"相似殊多，烟酒更是不分家，酒杯一端，吞云吐雾中，总是有说不尽道不完的话题。久未相聚之故，两人都很激动，甚至还有些冲动。酒酣耳热之际，我从用了十年的包里取出孝敬他的香烟一条，他则从至少用了二十年的包里取出皮鞋一双，这是一个根本就没有约定的礼物互换，可以说是叔侄间心有灵犀一点通的默契。回到家后，过了不久，我乐滋滋地拿出新皮鞋，准备穿好出差，结果呢两只不一致，是两双鞋子的各一只。电话告之大伯，两人在电话里开怀地笑啦。不用说，两双鞋子最终都归于我的脚下。鞋子合不合脚，只有自己才知道。大伯馈赠的两双鞋子，都很合脚。本来一对却无意成了两双，这难道不又是一个巧合？

大连之行，连串着、叠加着一系列的巧合、机缘。巧合，是一种偶然，若干巧合叠加、串缀在一起，就成了必然、规律，成为天意。天意不可违，顺天应人，不正是我们一辈子要追寻的吗？

一河传颂　千古绝响

——悼念岳父向南泽

"很久以后，当你远离了江湖，江湖还依然有你的传说。"这句话一直铭记在我的脑海。

一个人，归隐林泉或者是驾鹤西去了，人们还记得这个人，留念他的往事及好处，这算是为人处世的高境界了。人过留名、雁过留声，人若如此，不虚凡尘一生。我想，老岳父应该是这方面的楷模。他在太拥、南哨乃至剑河一带曾有极高的知名度，几乎是家喻户晓，妇孺皆知。还在许多年前，公务到太拥、南哨一带乡村，每当提到岳父的名字时，见过的或没见过的，无不肃然起敬，有的甚至到了膜拜的程度。

他的人格魅力，很难三言两语讲得清楚、说得到位，有人说他是一个英雄式人物，有人说他是社会贤达，有人说他是乡村绅士，或者兼而有之。有一旧物路标，地方上称之为指路碑，他像路标一样指引方向；他也像一盏灯，照亮幽暗崎岖的路，助人远行。可以这么说，他是一个充满正能量的综合体。伟人评价诸葛亮：言忠信、行笃敬、开诚心、布公道、广益众。尽管他不能与千古贤相去相提并论，但他确实富含这些品质。人能立世之本，靠的是自己的品格。他身体健壮、举止沉稳，宽额大耳、面容慈祥，目光慈善但锐利、不怒自威，处世练达、方圆有度，襟怀坦荡豁达、一副菩萨心肠。他正是以其卓然的品格和言行，立于乡人的口碑之中。

岳父家堂屋的神龛旁原挂有几张遗像，为祖母、二祖父、三祖父的遗像。三祖父向本立曾任民国时期太拥乡长，解放时，他组织民团夹道欢迎共产党、解放军，太拥乡得以和平解放，后《剑河县志》以开明人士将其载入史册，以彰其功。岳父为二祖父向本魁次子，岳父仙逝后，他的遗像被自然归位下方，这张上神龛的遗像最有代表性，这是一张出席县党代会的标准相。我凝视照片，不禁悲从中来，乃赋挽联一副："撒手人寰八十阳春成幻影；音容宛在一江悲泣悼亡灵"，虽不工稳，却发自内心。

向家家风历来淳朴，四乡八邻有口皆碑，这得益于岳父严苛的家教。刚结婚那几年，携妻子女儿到太拥过年或拜年，每餐饭都是席设神龛下，八仙桌周周正正地在堂屋中央摆开，然后次递上菜开席，端杯伊始，他都要作"开席致辞"，先是祝福家人一年平安好运，尔后训诲儿孙做人处世的准则、道理，再将杯子微微倾斜倒下些许米酒（意为敬祖先、地脉龙神），一切就绪，开怀畅饮。他很健谈，记忆力超群，席间畅谈，几乎是他一个人包场。尽管他读书不多，但谈资丰富，天文地理、古今中外，侃侃而谈，但不流俗。印象最深的有，"自从盘古开天地、三皇五帝到如今……""遍地龙船车马、五洋大闹中华、高楼大厦无人坐……""三穷三富未到老，十磨九难才登头"。他说话声音洪亮，加上语言有一种感染力超群的磁性，人们乐得洗耳恭听，一餐年饭下来，既享受了丰盛的珍馐佳酿，又免费获益了精彩的精神食粮。我曾调侃道，与他老人家餐叙，不啻是一次物质与精神文明的双丰收，与君一席话，胜读十年书。对于这种恭维，他也很是受用，畅谈的兴致也就更高了。他对儒学有过人的领会，堂屋的右侧客厅，挂有八张条幅，每幅上端是：忠、孝、仁、义、礼、智、信，下端则是相当于注释的小字，忠孝互为依存，是家国之根本，忠乃为国尽忠、精忠报国，孝乃立家之道，修身齐家治国平天下，自古忠孝难两全，孝了就能齐家，家风和睦则社会源洁流清，国则欣饮向荣。酒酣之余在此打牌、下跳棋，偶尔抬头四顾，那条幅自然就跃入眼帘。经年累月的濡染，蔚然昂然向上的纯良之风，这一大家子，无论老幼或大小一代一代地接续，我亦获益殊多。

年轻时我喜欢看武侠小说，侠客义士行走江湖，靠一身武艺绝学路见不平、拔刀相助，行的是英雄所为，侠客的义举让人兴奋。"人恶人怕天不怕，人善人欺我不欺"，这句《增广贤文》的古训是岳父的口头禅。一方面他以博爱之心，德行梓里，一方面扶危济困，伸张正义。他一生侠肝义胆、坚毅果断，力行着见恶不怕、见善莫欺的准则。听原镇政府负责人摆谈，有次街上一群年轻人晚上打架斗殴正酣，正在别家喝酒的他闻讯前往拉架，靠近时有人说了句"向嘎老来了"，顿作鸟兽散。热肠古道，一身豪气、正气，所到之处都会昂扬出一股浩然之气。街坊邻里有事需要帮忙，有困难求助，有矛盾求化解，他总是有求必应，所以他每每出现一隅或是一域，往往会惠风和畅，一片阳光。当然了，社会歪风、邪气小人见到他自然退避三舍，绕着道走。

感动中国 2020 年年度颁奖盛典有句名言"命运置你于危崖，你馈人间以芬芳"，这是对张桂梅校长的褒奖，我想完全可以用到老岳父身上。因为，他是以仗义疏财、慷慨大方驰誉乡间的。改革开放拉开帷幕后，睿智的他捕捉到了时代的商机，率先操盘起小百货生意，并一路风生水起，先是发了一些小财，成了当地为数不多的"万元户"。但他为富有仁、常施善举。赊销，是二十世纪八九十年代的产物，将货物以赊借的形式先拿去销售，待卖完了资金回笼后再行偿还，这是那时部分人谋生糊口、奔向致富的一条路径。供销社有赊销，但微乎其微，而且赊销对象大都锁定在有诚信有偿还能力的经营户，比如老岳父，他既是赊销的主体，又是赊销的客体。有新闻报道他《洒向山乡都是爱》，他将货物用爱心航行到山村田野、苍莽丛林，人民大众。俗话说人熟道理生，体现在财物的赊借上尤为深刻，平时觥筹交错、豪言壮语，一旦谈到借钱赊账，那就生分了。有酒有肉兄弟多，急难何曾见一人？我就历经这样的尴尬，二十世纪九十年代中期，为单位分房而四处借钱，四处碰壁，一次借的金额不足塞牙缝，一个亲戚借了但事隔数日便上门逼债，那尴尬至今也挥之不去，最终还是岳父出手相助才渡过难关。大智若愚或许是他的人生信念，据他偶尔透漏，也遭遇过仗义疏财后的不堪，有试图蒙混赖账的、装憨卖傻的，也有天灾人祸无力偿还的，偶遇及此，他常常是一笑付之，有时干脆也装，装糊涂。对那收不回的钱帛、物资，权作修阴积德的善品。吃得亏、打得堆，他是典型的吃得亏的人。起初，岳母有些嗔怪，但在岳父的濡染下，也慢慢做起了一个乐得吃亏的人。受他捐赠的不计其数，其中向有关部门捐了一笔不菲的义款，但发布榜文告示却没有他的名字，但他并没有声张，默默地"忍"了，我们不赞同他这种毫无价值的忍让，纵容一颗善心被雪藏，实际上就是放任善款的阳光流向。某村，一位长期赊销户发家致富了，一幢大瓦屋拔地而起，原本的约定忘到了九霄云外，玩起了"躺猫猫"的游戏，长期赖账不还，岳父也不催不问，他心里当时肯定期盼老岳父糊涂下去。好在上述皆不是主流，记情一直是太拥人的美德，太拥一带流传看不少一饭之恩、碗米之恩的故事。乐善好施、慷慨解囊、热心帮人，使得他像一棵常青树永远矗立在太拥河畔。他从不嫌贫爱富，相反与草根穷困大众打成一片，当中少不了雪中送炭，救人于困境。1991年冬天，一位久仪的村民挑一大挑炭到太拥街上卖，那天并不是赶场天，但行人熙来攘往，讨价还价中他问为何这么多人，人们告之是向嘎老家进新屋（即乔迁之喜），他闻讯后无论作价多高都不卖了，直接挑到向家，作贺屋之礼。小学读过白居易的《卖炭翁》，知晓伐薪烧炭的辛酸，知晓抱薪者冻僵于街头的悲凉，在这个村民身处困境时岳父出手相助，才有了一挑炭书写滴水之恩，涌泉相报的动人故事。有语言障碍的刘某生活窘迫，对生活失去信心，岳父亲自送他到安顺、凯里等地参观见世面，激发起身残志坚的自信，学会了谋生的理发手艺，自食其力而日渐向好。他虽然不能言说，但那份心怀感激之情又岂是言语所能表达得了的？只要有人提到岳父的名字，他都会竖起大拇指。岳父去世出殡那天，他一直随着扶柩队伍前行。

　　岳父一生嗜烟、爱茶、好酒，可以说这是他豪气的源泉。2017年，送儿子到东北上大学，随身携带两条香烟，临出门时，我说其中有一条原本是他的，岳母回应说他吃不得了你留着自己用，那瞬间有一股酸水注上心头。那些年因公我东西南北地奔行，有时好友馈赠一些茶品，我都要二一添作五地与他分享。他尤喜清明茶、节骨茶，茶具十分简陋，用瓷盆或钵盛装，四周摆放若干小杯小碗，方便随手舀饮。每天早上第一件事，就是烧上一大钵茶，置诸堂屋的八仙桌上，外出回来后一气豪饮。堂屋的大门永远都是敞开的，门口曾是寨上的主要通道，过往路人川流不息，行人可随意进屋享用。在农村大地，有一道悠久的景致，那就是泉井。原读书途经野猪坡，那里有一泉井，一位善者出资修了个汤匙型的石具，供人汲饮，每每在此饮泉解渴，清澈的泉水里仿佛荡漾着一张盈盈笑脸，我觉得岳父堂屋的茶钵与之相似，那里仿佛也有一眼永不枯竭的泉水。酒，是他人生的标配。他酒量大得惊人，时常自我炫耀，谁要与之论酒，他总是满脸的不屑。大人们经常用"吃过的盐巴比你吃的饭还多，走过的桥比你走过的路还多"显摆自己的阅历丰富，以此居高临下佑起后人，他却这样自诩"喝过的酒是东风车运来的"，后来似乎还不太过瘾，加码为"火车皮拉来的"。人们戏封他为酒司令，他乐得受此殊荣。我想起了原老州长石荣乾的酒诗："天天酒，天天有，但愿清江变成酒，我自躺在沙滩上，一个浪头喝一口。"我曾为之服务三年，朝夕相处的潜移默化，在有酒的日子，成了他们合格的追随者。酒场角力，拼的是体能和意志，他长期纵横酒坛而鲜有对手，大多数在他面前铩羽。看到手下败将双手缴械，挂出免战牌，他很满足也很得意。三碗通大道、一醉解千愁。斗酒开始是斯文的，用小碗斟满，咕噜咕噜一口气喝完，酒精的催化下意气焕发，战斗意愿迅速膨胀，换成大菜碗，一碗两碗尚可，三大碗后就剩者无几了。以血肉之躯抗击酒精分子的肆虐，肠胃翻江倒海，血脉瞬息扩张，惨烈异常。好多人在酒的作用下，原形毕露。而岳父一生稳健，从未借酒使性，发过脾气，更不用说酒疯了。饭局、酒局，酒品看人品。喝酒还考验着一个人的意志，检阅一个人的格局，数十年的酒场历练，他为自己树立了另一个丰碑。人们都说酒是癫狂之物，酒是乱性使者，酒误人太多，我亦深受其害，皆因在这个"度"上拿捏不精准。古人有云，对于自然事物要"取之有时、用之有度"。酒这个物品，因杜康循自然规律而酿制，数千年来，有人因之得福，有人因之遗祸。岳父这样感悟酒："屋内酒三坛、屋外三坛酒。"这有两层含义，一是做人之道，备足好酒三坛，宾客来了，尽地主之谊，热情招待，出门在外也会受到热心款待，随时有三坛酒在为你准备着。其实还有另一要义，即"度"，他好酒不假，但并不贪杯，一切都在自己可控当中。

我与他相知甚笃，既为翁婿，亦为忘年之交。父子俩时常对饮，杯盏频举，吞云吐雾，有时从掌灯时分到夜阑人静，有说不完的话题，酒烟是媒介，共同"三观"是桥梁，当然最核心的还是亲情。他晚年罹患冠心病，某年他携岳母上凯里看病，那时我正协助一位分管招商引资的州领导工作，公务缠身，一年四季在全国各地奔忙，迎来送往、应酬频繁，但尽量抽时间回家吃饭，陪他小酒一杯，考虑他身体欠安，开场便约定每斟一次他半杯我满杯，可是三杯过后，他不干了，他说喝了一辈子的酒哪有半杯的道理？我俩在厨房畅饮，天南地北、寒来暑往地闲聊，由轻言细语到嗓门逐渐升高，加之他本来声音分贝就高，惊动了在客厅看电视的母女俩，以为喝醉争吵，结果推门一看爷俩喝得正欢、聊得起劲呢！

为儿为女、一生劳碌，他有偶尔流露阅尽人生坎坷、世事无常的喟叹。他幼年丧父，那时他不足六岁，同胞兄向南川、妹向南芝在母亲的拉扯下，艰难度日。他十三岁撑过船、十四岁盖过瓦、十五开始犁田，这些或许是引发他感叹命运多艰的信息原点。另一件事则像一把刀剐割他的五脏。他有二子五女（确切地说是四子五女，其中有两个儿子夭折），向平安就是他的痛点，叫岳母说平安是向瑞莲（乳名水莲）脚下（方言，指排行）两岁多时夭折，平安长得眉清目秀、聪明伶俐，与我同年。说到平安，老岳母的泪水滂沱，"哗哗哗"就没有停止过。据说平安离开时一只肉嘟嘟的小手捏着一颗水果糖，红彤彤的脸上充满对人间美好的眷恋。岳母说每每经过埋葬平安的地方都想挖出来瞅上一眼。平安走了，在父母的肝肠寸断的苦痛中永远地离开了自己的亲人。不尽苦痛的泪水从青年一直流到耄耋之年，只因与我相像，才稍有寄托。稚子夭折，是人世间最悲伤之痛，是时光永远也剥蚀不了的伤痕。沉默、隐忍，内心强大如岳父，也只能用沉默掩饰自己的痛苦，用沉默抚平心灵的创伤。

岳父身份特殊，既是农民又是商人，身处体制之外，却又与体制内的人有着千丝万缕的联系。农民的身份，使他在村干部位置任职很长，会计、村长、支书，一当就是四十三年。因商人的身份，他被推荐担任县个体协会常务副会长几十年，还跻身省州理事会。至于体制，他的村干属于半体制内，个协职务事实上承担了体制内分流出来的部分职能。他天性乐观旷达、主动作为，因此有时比一些体制内的人还要满腔热忱。有位乡领导对他颇是敬重，对我说把岳父视为乡里一个班子成员看待，对此我心怀感激。2004年"两基"教育要迎国检，太拥小学当时的基础设施与要求相去甚远，必须征用校旁的三丘水田扩建校舍，可是承包人油盐难进、死活不肯，不管开出多少费用，学校、乡、县层层出动，嘴皮快磨破了，腿快跑断了，他始终是三个字"不同意"。国检日益迫近，开工却遥遥无期，学校领导心急如焚，万般无奈，时任负责人登门拜访老岳父，请他出面协调，他拍起胸口爽快地答应了。连续三个晚上，促膝交流、碗盏交错，终于做通当事人的思想工作。俗话说一把钥匙开一把锁，那么他是以何妙招去做通的呢？知情者后来解密，老岳父拟用自家数倍于他的稻田与之互换，其实根本的玄机还是他的人格魅力感动了对方，正如古话有云："蓄之既久，其发必速。"是也。最终人家也并没有贪图他的良田，人在做天在看，人在做人也在看。31岁就主政剑河县政府的王太陶县长，谈到岳父时由衷钦佩，说道"人生在世，做好了人，事也就好做了"。两位曾在太拥区公所、镇政府担任正职的领导，对他敬重有加，德高望重是出现频率最高的词语。金秋十月，乡里的迎国检大会隆重举行，老岳父被推选为群众代表发言，乡里专门为他写了个发言稿，并叮嘱这是严肃的利害攸关的大场合，不能出任何闪失，否则几年努力付之东流，他点头称是。到老岳父出场了，他并没有从上衣荷包取出发言稿，面对黑压压的会场，清了清嗓子，即兴脱稿"自从盘古开天地……"最后的锥点落到一个好字——政策好，国泰民安、天下归心，同时向在座的师生、向全乡民众发出倡议，珍惜好政策，勤耕重教，为祖国育好英才。全场掌声雷动，像太拥河的涛声经久不息，在太拥上空绵延回响。

那些年，乡镇都有七站八所，工商、税务、物价与他交集密切。随着市场经济进程加速，这些站所保留的成本越来越大，必要性愈来愈小，中国加入世贸组织不多久就合并或销号了，但"守夜人"的部分职能依然存在，岳父被举荐代行履职，那时他已年过花甲，有位朋友谈及此事，德高望重、老有所为，非他莫属，体制外服他管，体制内信任他，这是皆大欢喜的双赢。有一段美好的人生插曲，岳父年轻时组织部门曾找他谈话，拟请他到乡政府任职，当国家干部吃皇粮，那可是光宗耀祖的美事，几多人梦寐以求呵。但他因子女多养家糊口压力大而婉拒了，那时他的小生意日渐红火。后来到南寨、岑松镇遇到过类似案例，先选任副乡镇长后提任正职，他们都能说会道、精明能干，绝对是干事的好手，再后来遇到当时任县组织部的领导咨询此事，答案是肯定的。他还有另外一些身份，党代表、人大代表、政协委员、市场监管员等，而且是剑河县政协恢复以来历届委员、多届常委，像这种几重身份交织，而且属于底层，十分的少见。更让人罕见的是，对于这些身份，他都是做到了最佳的境界。这个境界是由上百张奖状叠加而成的，优秀党员、政协委员，各种先进，国家级、省州级、县乡（镇）级，张贴在堂屋、客厅四壁，与神龛上永不熄灭的烛光交相辉映，那一纸金黄色凝聚着他勤奋耕耘的汗水，那清晰如昨的墨迹书写他一路走来的轨迹，那鲜红的印章是对他最崇高的褒奖。望着金碧辉煌的墙壁，我说以后起屋不用粉墙了，他先是愕然，而后会心地笑了，这一笑笑出了成就感，笑出了奋斗一生的骄傲与自豪。这是他留给儿孙最重要的一笔遗产，可是世事难断，一娘养九子、九子九条心，他用毕生经历浇灌出来的成果，被划入弃物，归入废品的冷宫，当时我说这都是传家宝，要好好收藏。这本是最容易形成共识的事，却杀出了一匹黑马："这做得囊子，你拿钱来买去！"让我错愕良久也回不过神来。后来的结局是，大部分被请进了灶膛！岳父闻悉后，"嘿嘿"几声后，并未发脾气，其实我知道他的心在如刀剜割。

步入古稀之年，他移居凯里。但已是强弩之末的他，受困于英雄迟暮，满身无奈与沧桑。做心脏搭桥手术，心血管被嵌入三只冷冰冰的支架，打那以后身体每况愈下。烟戒了，酒也戒了，他强打精神与时间赛跑，与索命无常进行旷日持久地较量。少是夫妻老来伴，慈善的岳母一直陪护身旁，两个老人形影相随，沿着那条黄泥小径到金泉湖边坡上，耕耘别人撂荒已久的菜园，种些瓜瓜豆豆、四季时蔬，搀扶着到街边路角捡纸壳、矿泉水瓶卖，儿女们最初持反对意见，以为面子要紧，我却力挺，这是他们晚年力所能及的最后的一点人生价值了，收入虽然微不足道，却别有一番意义。日子一天天过去，两位老人用勤劳书写着他们的人生晚景。有时望着他们蹒跚远去的背影，心里好生羡慕，尽管当中有那么一份苦涩。金泉湖畔是我近几年流连较多的地方，那里有一股神奇的引力，总是让我自觉或不自觉地朝那个方向迈近，我和杨君智俩兄弟不约而同，但凡得到什么好菜或者特产都要拿去与老人家一起分享，这已成了一种惯性，期许这一切转化为一份延长老人家生命线的正能量，哪怕是一丝一缕。亲朋好友纷纷前来探望，杨秀林来的时机较佳，因为一个星期后岳父就溘然长逝了。儿女媳妇们都很孝顺，逢年过节携家带口、大包小包，从四面八方赶来，一大家子有说有笑，其乐融融。为了唤起他的乡愁，儿女们唱起太拥的酒歌向他祝福，用《常回家看看》向他传达天伦之乐，我经常说人世间最美的烟火图景莫过于此了。儿女们尽孝的一个共同心愿，就是阻挡死神临近的脚步，迟滞那一天的到来。然而，毕竟人命敌不过天命。光阴荏苒，慢慢地，岳父向生命的尽头滑落。长女水莲、次女老四（向瑞云），天底下最孝顺的女儿，与黑白无常的恶斗中，她们使出了浑身解数，听她俩讲到几姊妹所付出的一些细节、点滴，尤其是水莲和老四十数年如一日的默默无闻、任劳任怨，可昭日月，水莲春夏秋冬、晨昏午夜地陪护身边，饮食物资、语言抚慰、精神疗法全方位地加油鼓劲，挺过了一天又一天，熬过了一年又一年。她害怕父亲突然离去，有多少个夜晚陪着父亲就寝，紧紧攥着父亲的手，彻夜不眠。第二天麻麻亮，匆匆洗漱后赶到学校，高血糖的她几次差不多昏倒，扶着黑板坚持把课上完。最终斗不过人生终归于黄土的宿命。二〇二〇年腊月初六下午三点零六分，岳父永诀红尘、驾鹤西去。女儿心里那盏最亮的明灯油尽灯枯，那颗璀璨的明星陨落了。那天我正在三穗县良上调研易搬"户户见"，穿行杂芜丛生的乡间小道检查复垦复绿，电话铃声骤响，从水莲那撕心裂肺的恸哭声中，我业已知道岳父已撒手人寰飞升天国去了。

树高千丈，落叶归根，生前他就留下魂归故土的遗愿。他蔑视死亡，也留念人间；他勇敢地面对一切，也有人性的本来。某天，他突然对小勇说，"崽你站好，让我好好看一眼"，他已预感大限将至了。生命垂危的那一个多星期，我们一直处于恐惧的生活状态，恐惧他斗不过死神而败下阵来，但凡半夜电话声响起，心跳骤然加快，大汗涔涔，水莲时常从睡梦中哭醒。我用生命规律之类的语言安慰，要做好思想准备，但亲人的生离死别，又有谁超脱得了呢。哭吧，长歌当哭，用痛哭的挽歌为父亲饯行，用最悲怆、最凄切的哭泣昭告世界，我爱我的父亲，他是世界上最了不起的父亲。

岳父安详地走了。他去得圆满，这算是上苍对他最后的眷顾、福报。弥留的那天晚上，大勇带着几个铁杆兄弟，从榕江匆匆赶来，在氧气瓶的护航下，深更半夜赶回老家，坚持再坚持，到家了才放心地咽下最后一口气。第二天中午时，他一度清醒，眼睛微微睁开，嘴角还露出一丝笑意，大家都以为他好转起来了，殊不知那是回光返照呵。去世那天，碧天如洗，冬阳高照，而且还是一个吉日，我从三穗赶来的路上，就遇到了三堂好事喜酒。素来大气的三姑妈向南贞说得好，他走得干净、走得圆满。按地方习俗，择选良辰吉日扶柩上山，腊月十二日寅时起柩出门，未时下圹入土。有五天寻椁时间，时间宽裕，各路亲朋好友闻讯前来吊唁。除了迎来送往、借机讲述他的生平外，闲暇之余我再次近距离地拜谒、贴近这块热土，群山逶迤，河水汩汩，乡风和煦，流不尽的眷恋、诉不完的乡愁。逡巡在村头街巷，上屋下坎，往事如昨，当年老岳父领着我东家饭西家酒，鏖战沙场的情景历历在目。风雨桥依旧横卧碧波之上，那是今生今世永远也忘却不掉的了。有太拥河作证，恋情如歌、爱情无悔的倾诉与歌吟已随那皎洁的月儿泊在了记忆的深处……

出殡这天，阴天间晴。鞭炮齐鸣，唢呐奏响，哭声恸地，浩浩荡荡的送椁队伍由大坪子过大街迤逦而行，到大桥头左转登山而上。大勇身为长子，端着灵牌、遗像走在前头，水莲吩咐我为他撑伞护行。墓地距离不过数公里，路道宽敞，但我觉得这是最难走的一段路了，倍感举步维艰，一路踉跄，虚汗淋漓。十里长街送伟人，这一幕似曾相识。沿街铺店、邻里街坊，万人空巷，自发地加入了出殡队伍，有好多在外打工的听到消息后，星夜奔驰赶回来，送老人最后一程。听街坊讲，这是她平生在当地见到送椁人数最多的一次。地方有中途停棺休息、散烟的习俗，烟由女婿购买，休息时由女婿散发，人手一包，之前已是翻倍预算，但还是出现了尴尬，香烟不够分发，不得不临时补充。当时我就觉得这是一种美丽的尴尬，折射出的是他的人脉、英名。太拥乡风清澈、民德归厚，感恩之心尤强，乡民们惦记他往昔的好，自发地、浩浩荡荡地加入了送椁，心里默默地祝福他老人家一路走好。天堂里，没有病痛、没有争斗、燕舞瑶池、梵音袅袅，是好人的最佳归宿。

长眠之处名为松树叶坡，苍翠的松树，与四野的凋零，形成了明显的对比。他的离去，像萧瑟的朔风中飘零的落叶，在亲人的不舍中归于黄土，更像苍翠的松，任寒风漫卷，永远兀立山岗。陈毅诗云"大雪压青松，青松挺且直。要知松高洁，待到雪化时"，无意之中松树或许暗合了他的风格。

落窆之处较为平坦，按风水地理说法属流芳吉地、万古佳城，之前已葬有五祖坟茔。第二天，与水莲等为岳父复山，微雨中掘土为他的坟茔添土，我亦忍着腰椎骨折的疼痛与大家一道，扛泥袋为之起垄，渐渐地，一袋袋的泥土将坟头丰隆起来了。这时，凭目远眺，但见青山巍巍、绵延远去，四周绿水环合、群山拱卫，鹤声婉转，我想这方吉地应该是他起戟西去的阶梯了。

返程的路上，水莲一步三回头，泪水与雨水交融，化为一抹霭岚。回眸处，仿佛岳父的英灵正驾起祥云冉冉西去。

择邻而处

近读《三字经》："昔孟母、择邻处。"颇有感慨。

圣人孟子之所以成为千古贤圣，得益于他的母亲，具体而言得益于"孟母三迁"。人们常说有样看样、无样看世上，周边的事物对人有条件反射般的影响。孩提时代，大都有过青梅竹马、办家家的玩伴，就是学大人们婚娶。孟家起初居所与墓地为邻，顽童孟子与发小们就玩起祭祀故人、踊跃筑埋的游戏，孟母认为对孩子成长的身心不宜，便迁居集市旁，又发现孟子学起了贩夫走卒们引车买浆、屠禽宰畜的行当，孟母亦不悦。再卜居学堂边，那是读书知礼、揖让进退的地方，孟子照例又模仿起来了，孟母大喜，这才是居家吉地呵！这则择邻而居的故事，传颂千古。与之媲美的另一则故事是岳母刺字。孟母三迁成就了千古大儒，岳母刺字成就了彪炳史册的民族英雄。可见，处何环境、与何人处、家风家教对一个人影响巨大。因此白居易从心里感叹："每因暂出犹思伴，岂得安居不择邻"。

古人言："近朱者赤，近墨者黑。"我家乡也有句土话"跟了好人得好伴，跟了强盗满街蹿"。这两句话说明了择好邻处、择好友交的必要性。人是群居动物,喜欢扎堆热闹,追求遗世独立、孑然一身的那是极少数。近闻终南山居士日多,但于茫茫人海也不过寥寥另类。如所谓隐士,小隐隐于林、中隐隐于市、大隐隐于朝,真正的隐士或高居庙堂或蛰伏于灯火阑珊处,只有那些小隐的隐居山水林泉、处江湖以远。因之,既是群居,就得择邻而居、择人而处,那是人生的大事,万万大意不得。"富贵时身边人不都全是假士,贫寒时身边人一定都是真者",这话揭示的是人情冷暖、世态炎凉的冷酷无情,也隐含着择友择邻的必要。

人善于暗示,"暗送秋波"就是典型。善男信女两情相悦了,目光对视中有一股股暖流、一缕缕甜意在互相传导,而这份柔情蜜意只有他们两人感觉得出,这就是暗示,你瞧有多么神奇。暗示,借助于第六感官,或藏于潜意识。有段时间,父母经常出现在我的梦里,清晰如昨,欲言又止,似在暗示着什么,后经反复内省自己,并做出了恰当的处置后,有许久都未梦见父母了,这也是一种奇异的暗示与感应。"贵州客讲不得""说曹操、曹操到"也是暗示与感应。暗示能影响甚至左右人的生理及情绪,积极的暗示(即正能量)能激发人的潜能。岳父曾说过某年太拥失火(即发生寨火),情急之下,他竟然将一庞桶的谷子连桶带谷一口气抱到大坪子上,免焚于寨火,这桶谷子重约三百斤,岳父非李元霸也非鲁智深,在平时是不可能的事,但情急之下爆发出了巨大的能量。某年我在清华大学培训时,老师讲到了一个生动的真实故事,一年轻妈妈外出买菜,返回时看到一群人聚在一起,焦急地议论着,目光全都望向一个地方,她循着望去,正是她家,两岁的孩子正爬出了阳台,摇摇欲坠,见状她甩掉提袋,迅速奔向楼下,儿子同时从楼上坠落,她跑到时刚好接住儿子,十几层楼的惯性冲击,儿子保住了，她的双膝盖却粉碎骨折了。有人测算，她那奔跑的时速超过了世界上最厉害的短跑冠军。这是积极的暗示即伟大的母爱所焕发出的潜能，无边大爱使这位母亲突破了极限。"妇人弱也，而为母则强"（梁启超《新民说》）。

那么应如何择邻处？既要看大环境，也要留意具体的邻居对象。远亲不如近邻，这是对人情味的颂歌，但有时则不然。

首先要择善而处。与善人同处则日闻嘉训，与恶人从游则日生邪媚。养生方法，最佳的不是药物食材，而是拥有一个好心态，这个好心态就是从善如流。古人云："所谓善人，人皆敬之，天道佑之，福禄随之，众邪远之，神灵卫之""心起于善，善虽未为，而吉神已随之；心起于恶，恶虽未为，而凶神已随之"。因此，要多存善心，多兴善举，常施善行，而且邻居之间互为彼此。在人生的道路上乡田同井，出入相友，守望相助，疾病相扶，此乃人情之至美也。

二是择勤而处。"借米不借柴，救急不救懒。"这话富含哲理，给人以警示。米缸告罄了，家中小儿嗷嗷待哺，手提撮瓢向邻居赊借，那是一定要施以援手的，但如柴火都要赊借，那就有大问题了。借米是因穷所致，穷则多因，因病因教或因天灾等，实属情非得已，因借米而一饭之恩、涌泉以报的佳话流传不少。懒就不一样了，面对懒人会有诸多不爽。一是有一定传染性，会给积极性带来重挫；二是与之相处如鲠在喉，不怕贼盗着，而是怕贼惦记着，懒人有惦记你的可能；三是容易忘恩，还见不得人好；四是形如魑魅，一旦被缠附，便如鞋底下粘上了口香糖，捡块石头蹭掉都不易；五乃是非多。《菜根谭》："人太闲，易别念窃生。"人闲是非多、人忙解百愁，闲人、小人、懒人诸多习性相通，君子坦荡荡、小人长戚戚，君子身陷小人重围，哪怕再坦荡，也会心生郁闷。世事练达皆学问，人生在世须谨记"一碗米养恩人，一斗米养仇人"，白眼狼喂壮了，不但会反目自己恩人，还会遗患世上。白眼狼是地道的小人，小人畏威而不怀德。清朝重臣曾国藩有句话"财向险中求，仇从恩处来"，虽说有多大恩就有多大仇未免绝对，但在人情世故里却有一定道理，因此施恩施救适可而止，伸缩有度，受恩者亦要适时而退，否则反目成仇皆不欢喜。

天道酬勤。桃花源里的乌托邦，人们向往之邑，"有良田、美池、桑竹之属，阡陌相连，鸡犬相闻。其中往来耕作……"人们读此美文，仿佛身临其境，乐不思蜀，但"往来耕作"大都为人所忽略，其实这是桃花源之美最不可或缺的，男耕女织是农耕文明的重要特征，是建立在勤的基础之上的，没有勤劳，桃源之美只能是子虚乌有的乌托邦，海市蜃楼的抽象画。

三是择雅而处。雅俗共赏，相对雅而言，俗并非一无是处。俗接地气，阳春白雪、下里巴人的叠加那才是生命旅程的纷繁多姿的立体式组合，但俗不可耐就不行了。贪心是俗气最直接的表现形式。某年有一体制内人士乔迁宴客，席后剩油不少，一邻居贪心顿起，提起就往自家走去，脸不红心不跳，边走边理直气壮地说这是吃国家的，主人语塞。某两家菜园相邻，划线为界，并起园桩隔开，菜园确权饶是如此分明了，邻居硬是将锄头刨向另一家的界内，这个举动收获的价值几乎小得与零画等号，但另一家就堵心了。这种邻居的表演属见利忘义的典型，搬又搬不走，今天不见明天见，个中滋味如同嚼蜡。

四是择高而处。人往高处走，水往低处流，前者乃社会规律，后者自然规律，既是规律那是不可违逆的，谁违背了规律，谁就会吃亏碰壁。"良禽择木而栖，贤臣择主而事。"小时，燕子归来，落户屋檐，从善人家的屋檐下一窝、两窝，而睚眦必报、指桑骂槐、戾气乖张者流家下屋檐，极少有燕子光顾，燕子乃吉祥物、善类且有灵性，似乎能识别善恶。物以类聚、人以群分，正义者聚首能行天道，龌龊盟誓则狼狈为奸。人与人之间有着能量的磁场，和正能量的人交往，能被他的积极向上所感染，心情也会变得豁达开朗，对生活的期冀充满阳光。与高人、雅人处之日久，低劣、俗气自然会剥茧抽丝，消弭于无形。

五是择宽而处。"和以处众，宽以接下，恕以待人。"这是出自宋代隐士林逋《省心录》的修身名言。人生在世难免遇人不淑、遇事不畅，遇此窘境郁闷是很正常的，要善于超脱出来，老是拿别人的错误、卑鄙来惩罚自己，既不省心、明智，亦易陷入恶性循环的死胡同。宽容、宽宏、宽恕，是一种雅量，也是一种智慧，处理好了有时会收获福报。"兄弟阋于墙，外御其侮"，兄弟虽平时有口角，但强敌环伺了，当携手并肩共进退。邻居亦如此，朝夕相处难免一些鸡毛蒜皮的磕绊，一个宽字就助推冰消雪融了，因为退一步则海阔天空。既要有壁立千仞无欲则刚的风骨，也要有海纳百川有容乃大的包容。一个人胸襟宽广了，才会志存高远，成之大器。睦好邻，择良友，相信一辈子活着，幸福指数必水涨船高。

"海内存知己，天涯若比邻。"情深义重、群山无阻，远在天涯的神交、知己，犹如毗邻相伴。在这个世界上，最暖心的莫过于清晨或傍晚遇见的真诚问候，没有钱财的交换，只有相互的守望与牵挂，因为今生彼此有缘。远亲不如近邻，旧时交通闭塞时这话有道理。时代变了，交通发达快捷，信息化彼此可以秒晤，时空的巨变颠覆把亲戚意识、邻居观念完全颠覆了，邻居之间的人情味淡了。择邻已不太重要，亦不太可能。城里的邻居数年不知彼此姓氏已然常态化，更不消说从业、子嗣、籍贯、年龄之类信息了。进出电梯偶遇，相互敷衍，天气、饭否是交流主题，邻里守望相助的传统已为物业所淘汰。电梯里数十秒的光阴，宛如一段艰难的旅程。

从善如流，择善而从。古人有云："与善人居，如入芝兰之室，久而不闻其香，即与之化矣；与不善人居，如入鲍鱼之肆，久而不闻其臭，亦与之化矣。"这里的善不是单纯的善，有雅、高、勤的内涵，倘若有邻如此、有朋如此，乃人生之幸也。

梦　忆

一

对于梦，我们的祖先周公有过梦的诸多说法，叫周公解梦，他认为梦是一个人的某种征兆，或暗示，平时的想法在虚无的意境中自然流露，或对身体状况、运势、吉凶等进行提醒。奥地利心理学家弗洛伊德有梦的解析，认为人有一种可能连自己都不知道的意识，叫作潜意识，梦就是这种潜意识的特殊传达路径。

人们常说我的地盘我做主，其实并非全都如此，强敌入侵、寄人篱下就身不由己了。做梦也一样，人们有许多的梦是由不得自己的，比如红楼说梦，四大家族的倾颓没有任何人能力挽狂澜于既倒，凡夫俗子自己的梦呓也不是事先就规划设计好了的。人的一生要做无数的梦，五花八门、畸形怪诞，春秋大梦、黄粱一梦、南柯一梦……有的看起来真实，有的荒谬不经，有的让人从梦中笑醒，有的让人后背发凉。不管怎么样，梦对人类而言，绝对是一个好东西，心比天高、命如纸薄的人可在梦中得到慰藉，理想丰满、现实骨感者能以梦聊表一下精神胜利，难以启齿的求索、见不得光的欲望，尽管到梦中去满足。人对愿望渴盼之极，往往说梦寐以求；对某一物事眷恋日深，会魂牵梦萦。这美梦，在变化惝恍的梦幻中翱翔，无疑惬意非常。噩梦就让人不怎么受用了，渴极了泉水唾手可得，可怎么也够不着，两情相悦梦中喁喁私语，可突然棒打鸳鸯，仇人猛兽追袭，可腿怎么也迈不开、跑不快。自古最是梦难留、一枕黄粱醒即休，无论美梦几多绚丽，梦醒时分旋即破灭，又无论梦魇怎样缠身，醒来不过虚惊一场，梦就是梦醒而已。梦虚无缥缈，以之影射现实，可以规避风险，曹雪芹一部红楼写尽了世态万象，尤其是无情揭露了王公贵胄们光鲜背后的暗角，是以梦立的意。贾宝玉梦游太虚幻境，初试云雨情，这个梦太玄乎了，表象看是贾宝玉身心发生质的变化，由懵懂少年向青年转身，但这个梦是四大家族声色富贵由华丽向没落演绎的引擎式预示，这是世上设计最高明的梦了。中学读李白《梦游天姥吟留别》，梦里游仙，用神来之笔描写了雄阔的梦境，为自己不向权贵摧眉折腰作铺垫，也为自己获取了精神上的暂时愉悦。梦，也可排遣郁闷。前些日子，送椁归来途中，两位七旬妪对话"人一生就像做一个梦"，这是已把尘世的一切看透了。苏东坡"人生如梦，一樽还酹江月"，不但自己释然了，还惊醒了几多世间人。

梦，也是人类前进的一注动力，因此人们把美好未来的愿景美其名为梦想，循着这梦想一路追求下去。团结同心、进步同力，华夏日益靠近世界舞台中心，正是因为中国梦的出炉，复兴的力量源泉才如滔滔江水，这是国运大势。卢生一枕黄粱，淳于芬南柯一梦，却是平头百姓的普通追求，都为梦且梦境相似，讥讽的是不切实际的幻想，却又反衬旧时的一个不争铁律，书生、赶考、求取功名然后飞黄腾达，印证的是学而优则仕、书中自有颜如玉黄金屋，激发学子十年寒窗、一举成名。然而现实中，有的人浑浑噩噩、醉生梦死，有的百无聊赖、热衷白日做梦，"十年一觉扬州梦，赢得青楼薄幸名"，梦忆转瞬即逝，十年一梦、青楼薄幸，这是代价最昂贵的梦了。

二

有段时间，老是做相同的梦，老是不由自主地被一股引力拽入相似的梦境。梦的场景历历在目，地点就在老屋的火边。老屋宅地而居，堂屋、火边以地为面，其余皆为楼板铺张。灾后重建时将火边改设在以间房，原火边则改为父母寝室，全为楼板。梦中与父母围着火塘叙话，他俩时出时进，倏地又不见了，倏地又飘忽而至，有时像是从门口进来，有时又像是从天而降。我生火烤火，似燃非燃，火光忽明忽暗，总感觉不到温度，始终笼罩着一层灰蒙蒙带有寒意的色调。我们交流，父母有时抬起头欲言又止，有时又把头埋在两膝之间，有些拘谨羞涩，有些惶惶不安。四叔也偶尔出现落座，或埋头抱膝，或莞尔一笑，那笑有些异样。我们梦中相处，既具体实在，又飘忽不定，矛盾着。没有体肤上的接触，交流了些什么也似是而非，模棱两可。每每睡梦中醒来，日光灯吱吱微响，父母就像刚从身边离去。难道这就是恍如隔世？这样的梦重复多次。有时总感觉有一个熟悉的声音在呼喊，隐隐约约，梦境有之，昏昏沉沉时有之，难道这是阴阳之间的一种暗示，阴阳两隔的亲人通过这诡异的形式传达思念，或提示？

家乡有托梦一说，先祖若有寄寓、有念想，便会梦托后人。阴阳隔张纸，这张薄如蝉翼的纸，把生与死阻隔在了不同的维度世界，无能为力戳穿这层纸，只能借助于梦，这是唯一的通途。日有所思，夜有所梦。将白天的所思所想付诸梦境，将往昔旧物在梦境里再现，在梦里与先祖故人重逢、话语，重温往日的情怀，难怪有人说重温旧梦。这段时间的梦忆又好像不是那么回事，完全被动地徘徊在与父母相逢的梦中。直到有一次返乡，打开父母的卧室，走进有些灰暗的房间，突然感觉到一束目光在凝视着我，那是从放在黑木箱子上的母亲的相片传达出来的，当母子俩的目光在对视的刹那间，仿佛有一股温情在穿透着时空。我恍然大悟，重复的梦应该是由此传达出来的信号。

母亲黑白照片的底色与梦境一致。梦由心生，这才是做梦的高境界，那梦境如同一帧照片永远定格在我的脑海。

相片是母亲留给我最珍贵的遗物，那把可恶的寨火将许多的旧物化为了灰烬，包括许多的记忆。相片是复制放大的，放在阴暗的黑色木箱上已有些时日，蒙上了灰色的微尘。母亲正是通过这张照片向我发出了呼唤。

母亲这张照片是备为神龛之用的，父母离去后，儿辈将遗像框装置诸神龛两侧，这在家乡是约定俗成的。待我将相片装订在神龛一侧后，那重复着的梦就已很久没有出现了。父母或许已在另外的世界里安息，我们在这边活着，阴阳两隔，无法走进彼此，只能在梦境中与父母相晤，在梦同处一个时空的维度，泣泪交流。这是不是人们常说的梦与魂牵呢，我想，也许是吧！悲欢离合的纠结，阴阳相隔的牵挂，生死两茫茫的愁苦，通过梦来稀释、度化，我们乐意桥接，因为那清寒的底色里终究透着一股暖意。

梦，是一个奇怪的东西，不知道其他动物有没有做梦，做梦可以说是人类的一大福祉，人类因有梦做、有梦想而奇妙无穷。有的人鄙薄痴人说梦，我有时倒想做一个痴人。

相　片

一

　　图画，混沌蒙昧时应该是人们保留记忆的一种手法，至于成为一种艺术流派或形式，那是后来的事。

　　照相机拍照也一样，最初只是想用一种快捷的方式把一刹那刻录下来，以作永久保存纪念。后来也分化出了林林总总的艺术派别，那也是自然的事。任何事物的产生与存在都有它的必然性，后来蓬勃发展也好，自生自灭也好，也自有它的理由。一切都是在社会分工的裂变中生息与明灭。

　　图画与相片的出炉完全不同，却以完全相同的形式履行使命，即以视觉语言的形式传达信息、载述历史，传达审美价值。无论横向还是纵向，读者通过平面直觉而产生心灵会意。

　　相传黄帝史官仓颉发明了语言文字，文字的诞生，因其强大的传达功能，其社会地位没有任何手段可以撼动。但视觉语言的威力亦不可小觑。文艺复兴时，达·芬奇名作《蒙娜丽莎的微笑》，这堪称千古奇韵的微笑，或严肃安详，或温文尔雅，或浅露忧伤，或笑含揶揄，被喻为最神秘莫测的微笑。作者精准而又含蓄的笔法将一帧妩媚笑靥的画图呈现观者，向社会发出人性的呼唤，从而引起各界轰动，其根本就在于作者以高超的视觉手法进行传达。

西汉时期，王昭君出塞和亲，换来了半个世纪的边界安宁，这纯属一个意外，这个意外是以视觉传达形式出现的。那个叫毛延寿的画匠行不正之风，向宫女们索贿，寂寞无度的宫女为了蒙君临幸而行贿，毛画师拿人手长了而笔下生花，向皇帝致以最佳的视觉效果，一个愿打一个愿挨，皆大欢喜。可昭君偏就不吃毛的这一套，毛挟隙泄愤，公报私仇，在视觉传达上搞手脚，在昭君被临幸的道路上塑起了一堵无形的高墙。以至于就有了后来的故事，有了昭君的出塞怀柔，使得漫长的边塞数十年了无战事，国泰民安；有了皇帝的捶胸叹息与搞腐败的毛延寿被处决；有了昭君过茫茫草原时，天上大雁都要落下来一睹芳容而依依不舍离去，更有了昭君以落雁的芳名与沉鱼、闭月、羞花齐名，千古流芳。

二

总有那么几个特殊的节点，供我们回望来时的路。那个节点，可能是一个瞬间，也可能是一段旅程。相片像一个奇妙的行囊，将那些故事压缩打包成一个个邮箱，收藏、传递到某一个驿站，随时激活我们的记忆，唤醒我们的情感。

某一天，微信弹出一张照片，一张女儿还很小的相片，抚今追昔，让我百感交集。诗人普希金说："岁月在流逝，我们在成长。"那时我也不过二十多岁，女儿还在牙牙学语。时光转瞬即逝，女儿已到了当时我的年龄，而今我已奔五有余，年华终将老去。所谓青春不散场只不过自我调侃式的盟誓，自欺欺人的慰藉。

一路人生，一路风景。人的一生如同一轴白纸，都会自然地在上面留下印痕，至于留下些什么，各人有各人的轨迹。岁月留痕，得益于照相机、相片。

我想起了关于照片的几个第一。第一张照片《窗外的景色》诞生于1826年，发明者是法国一个名叫尼埃普斯的军官。第一张彩照诞生于1861年，彩照第一次商用始于1894年。

照相机的问世，确实是一个异常了得的大发明。它的出现，让人类的生活色泽更加五彩斑斓。快门咔嚓一声，一个片段、一个场景便已定格。喜怒哀乐，便被直观、简洁、快速、真实地记录下来，成为一幅图案。一帧照片能瞬间激活历史记忆，热切的岁月、蹒跚的步履、艰辛的旅途，都能通过它掀开过往的一幕幕。

照相是一大雅玩。手提相机，纵身到大自然的怀抱，流连捕捉诗意瞬间，从不同的视角，调整不同的光圈，摄入不同的风景，景随镜异，尽情收录，然后满载而归，然后将景与情一并储蓄。待过了段日子，再一帧帧地翻阅，那历久弥新的美好叠加起来，愉悦着自己，惬意我们的心路。那些色调各异的相片，景致不一，却情怀相同，每一张图画都是一番情感的倾诉与表达，或一次会意或一阵耳语。那一片飘零的落叶，让我想起了那年的秋天；那一湾汩汩溪水，蓦然伤逝怀旧，无奈的茫然；那莺飞蝶舞的瞬间，让我想起了那座葱绿古朴的山庄，还有那一张张绽开的笑靥；那灿如桃花的笑脸，耳畔回荡起银铃般的笑声……

照片，映照着身后的美好。花开了又落了，在盛开时留下永远的灿烂。岁月不可倒转，江水不可倒流，在岁月尚未淘尽朱颜时，留下柔情芳华。无论是与湖光山色耳语，还是徘徊于青松翠竹的缱绻，都用相机留下，留下永恒，留下精彩。

　　时间在指间悄然滑过，那些记录着童真、青涩的形象和略带傻气的相片已随着那些往事，被尘封在某一个角落里。那些随着快门声定格的不舍遗弃的瞬间美好，在成长与流逝之中渐渐地被淡忘了。翻开一本本陈旧的相册，记忆的闸门一下子打开。那些片段，那些故事，青涩的笑容，傻气的怪样，一颦一笑，一朝一夕，一花一世界，一叶一追寻，一切的一切，让我的思绪翻滚，霎时盈满温馨和喜悦。

　　由此，我又多了一个兴趣，看图片怀旧，通过相片寻找寄托。有事没事就打开抽屉，翻开有些泛黄的影册，浏览那有些泛黄的照片。这些已老旧的相片，或许没有什么艺术性可言，却真实地记载着，给人以无尽的思念。每一张都不是孤立的，背后有着许多生动的故事。瞬间的定格，已把那背后的故事记录在案了。清明节前夕，准备老屋神龛的父母画像，从相册与父母的遗物中寻找，意外的是，竟然发现了父亲二十多岁的两张黑白照片（一寸，其中一张免冠），那一刻的喜悦可媲美哥伦布发现新大陆。然当另两张父亲分别抱着小时女儿、儿子的留影跃入眼帘时，心潮起伏，酸水澎湃。相片里的父亲已很苍老了，皱纹交错，满脸沧桑，天真烂漫的女儿、儿子如含苞待放的花蕾依偎着爷爷，无忧无虑地憧憬未来。父亲作古已十余载，女儿也已由童真而及笄而执鞭大学讲台，儿子也已步入了大学的殿堂。父亲几张照片的年龄相差不下五十年，五十年的历练，发生了什么，只有父亲体悟得到。祖父的故事很多，但离世时，我还年幼，对他的音容笑貌模糊，讲起他的故事时，已回忆不起他的样子，经常问询父辈，说他相貌如何如何，表述不一，始终有那么些遗憾，唉，如有他的一张照片就好了！

相片一度是奢侈的物品，能有一张照片那是多么令人欢喜的事。无论是阳春白雪，还是下里巴人，每个家庭都有自己的压箱之物，如房产地契、珠宝银票，这些镇宅物品是一家的命根子，照相机诞生后，相片顺理成章地入列。胶片时代，照相是贵族精英们的专属，至少是小资阶层以上。物以稀为贵，拥有一纸自己的光辉形象，当然如获至宝，当然要视为压箱之物。压箱之物，但不一定置诸箱底，某种情形下它的贵重体现在视觉传达，体现在装点门庭，体现在情感传递，等等。怀春的少男少女们钟情了，会用不同的方式来传达，如信物，不同的民族、不同的年代、不同的阶层，感情表达的方式各异，香苞、绣球、哈达、鞋垫、手巾这都是人们耳熟能详的信物。有的就很奇妙了，镇远抱京姑娘们用细篾篮子装葱苗来传达爱意，这些都是民间下里巴人用来见证爱情的物品，与富豪小资们的项链、戒指以及后来的豪车、洋房相比，简直云泥之别，以金钱价值而言，几乎可以忽略不计，却有诗情画意，富含人情味。情书也算得上是一种信物，现已为人们所不屑。照片，如一道缤纷的彩虹横空出世，为少年男女们架起一座座鹊桥，作为青年男女间交好的信物，曾一举碾压了一切古老旧物。不管是一寸两寸，还是彩色黑白，我们这一代人真实地拥有、珍藏，清晰地感受着相片穿越时空陪伴我们走过漫漫人生旅途。

时光剪切了日子，留下的只有沉静的凝思，岁月了无声息，用相机刻录美好瞬间，留下永远的记忆。

瞬间与永恒
——读黄明光先生影集《故乡祥云》

　　瞬间与永恒，是一个相对论的命题，属于哲学的范畴。然而，当我捧阅黄明光老大哥装帧精美的力作《故乡祥云》之后，才发觉还可从物理学上找到答案。咔嚓一声，不过转瞬之间，何其短暂！正是这一刹那，却孕育了永恒。

　　毋庸置疑，这部影集，给我们留下了诸多永恒的美好记忆，但如果按图索骥，或倾听他娓娓道来每一幅作品的诞生，背后的故事更是感人，仿佛那一张张照片是由一个个故事串联而成。其实，他本身就是一个厚实的故事，他阅历一生，用光圈与快门凝结成这部摄影界的旷世之作，从某个角度讲，这本集子就是他风雨人生的记述与写照。

　　我与黄大哥结缘也有一个故事，一个瞬间与永恒的故事，铸就了我们的友情之桥。20 世纪 90 年代中期，某年初春，随石荣乾老州长到从江县调研，腊娥渡口迎接的人群中，有一位人物身体修长、眉宇清秀、气质不俗，尤引人注目。稍做寒暄后，驱车直奔田间地头。车上，我问老州长那人是谁，他说是县委黄书记。那时他不到 40 岁，身着一件灰色风衣，疏朗俊逸，心里暗自喝采：人中俊杰！这瞬间一幕，就永远地珍藏在我的脑海里，定格成我们之间人生旅途的一个记忆坐标。我们之间的情谊、故事也由此展开。后来接触相处，他为人处事、良知道义、工作事业如他长相一般帅气，特别是他那一身的正气、豪气，镂刻于心于脑，永恒地铺漫在我们的人生轨迹上。

我俩都有共同点，笃信缘分，而且还执着、敬畏，腊娥渡口一晤，就是缘分的使然。相识相交相知是缘，行色匆匆的邂逅是缘，用快门留下瞬间也是缘，只要是缘，就得珍惜。他赋予了缘以深情厚谊，并用艺术的笔法加以装帧与锤炼，然后倍加呵护、收藏。在过后的日子里，将缘分视为一道护身符，工作生活、择友交友，以缘为重要参照，还创造性"移植"于他的摄影生涯。可以这么说，这部力作是机缘的巧合，是机缘下灵感的涌动与放射，是捕捉抓拍那一刻美好心灵深处真情实感的冲动与流露。"文章本天成，妙手偶得之。"（陆游）这个妙，是机缘、顿悟、技法、融通的综合体，他把玩得得心应手了。

摄影，有别于文字、绘画、歌谣等记载方式，载述历史，记录往事，只在方寸间。尺牍画图首先向人们传达出视觉美感，然后留下空间、悬念，让读者去放飞思绪，展开想象的翅膀，到图片及其背后的辽阔的大自然、到浮世烟云中去，共鸣与自己心灵碰撞的火花。为了留下更多的片刻与永恒美好，他数十年来，公务闲暇之余，背负行囊、手提相机，不避艰辛，不畏坎坷，以常人难以趋及的坚韧，执着于他的艺术追求。有一副对联很适合："有志者事竟成，破釜沉舟，百二秦关终属楚；苦心人天不负，卧薪尝胆，三千越甲可吞吴。"为拍摄珠峰金顶夕照，年过花甲的他，险象环生（缺氧、严寒、随时雪崩）中，一个人从大本营艰难出发，抓拍到了梦寐以求的镜头，据说珠峰晚霞仅逗留六分钟，因常年雾锁而十分罕见。珠峰，世界之巅，距离太阳最近的地方，六分钟的阳光照耀乃大自然的手笔与惠赐，每年恒定地翻拍宇宙变化的转瞬与永恒，为了这个六分钟，有多少人铩羽而归、败兴而返，甚至有的埋骨雪山。为了记录苗侗人民对高铁来临的喜悦，抓拍高铁走进苗乡侗寨的划时代一瞬，他历经二十多个日夜的择点、取景、蹲点守候。为了拍月亮山日出，夜岚未尽，就孤身一人攀登崎岖山道，登上山顶，张开双臂捧接第一缕朝霞的来临，用镜头给世人留下壮美。他还为了留下历史痕迹，走遍了全州的山山水水，拍摄《光辉岁月》，这个影集记录了全州所有乡镇的原址原貌，再过百年，其价值又将如何？这样的案例不胜枚举。正如古话所言："种瓜得瓜，种豆得豆。"上苍给予了他这样的回报：《我在西藏拍珠峰》配以作者优美的游记散文发表在州报文艺副刊周末版上，这天，这个山城所有报刊亭的这期报纸被抢售一空，有人美誉为"洛阳纸贵"的现代版。《高铁修过侗家寨》，一经出炉面世，这幅傲立于艺术性、时代感巅峰的绝品，被《求是》《文汇报》等数十家报刊显要版刊登，能作为《求是》封底，在贵州还是第一次，这是一个无须举行仪式的冠冕！还有数不清的奖项翩翩飞来，国际的、国家的、省的、州（市）的……他一生拍摄了数十万张照片，这个集子的几百张，是其代表作、精品，大都参展、获奖。作品《快乐岜沙人》投递到国际大赛角逐，数十万幅作品中层层海选，最终脱颖而出，惊艳了国际摄坛。那个金质奖杯熠熠生辉，不知眩晕了多少摄手双眸。

　　诗言志，以视觉传达为特征的摄影又何尝不是如此？为了言志，千重山留下了他辛劳的足迹，万条水印照着他跋涉的身影，冬去春来，人生匆匆，由倜傥风流，直至岁月之刃在他那俊俏的脸颊刻出了沟沟坎坎。创作中，谋求用娴熟的技艺、臻于化境的摄影语言把"志"传达出来。那么，他的"志"是什么？大自然晨昏变化、四时更迭、山水律韵、历史轨迹、时代风云等，由之衍生的但凡正能量的物象与视界，都是他所要表达的。当然有着主政一方的履历，责任的驱动，也不乏社会追问与考量，家国情怀与使命担当。人格之故，良知道义、浩然正气、积极向上自然也就成了一大基调。"在心为志，发言为诗。情动于中，而行于言。"（《毛诗序》）他不断地内视、反思自己，审视和把握时代风云际会。然后，纵情天地万物，抒怀古今风云，用充分的预见、哲学的智慧、光学的神奇，去抓拍山水律动之美，收藏光阴荏苒故事，彰显自己的价值取向、审美情趣，并在这个过程中实现了瞬间与永恒的对立与统一，也由之完成了一幅幅艺术不朽的画图。《农家火塘》《煨酒人》那火塘跳跃的火焰，那纯真灿烂的笑靥，以及画面上透出的微微暖黄，让我们感到人间烟火的至美，《山寨粮窗》《侗乡秋色》让我们透过丰收的景象，窥视农耕文明的演绎，《大地粮仓》层层稻田尽现人与自然的和谐相处，《高铁修过侗家寨》与四十年前那首歌《铁路修过苗家寨》，分别用图景与歌唱，将时代巨变给苗侗人民带来的喜悦永远地刻录于史册，作品标题寓巧于拙，"出奇制胜"，用叠加的手法，既唤醒读者的历史记忆，又淋漓尽致地表达了喜悦与感恩。退休后时间充裕了，依旧没有闲着，依旧继续他的游历行走，他的足迹由祖国的大好河山到踏出国门，行于世界的人文胜迹。他像过客，也像苦行僧，行色匆匆，忠实地记录世间万物、灵感闪动的瞬间。所到之处，不是沉湎于表面的浮光掠影，而是，用心灵去感知，升华自己的情操境界，然后把获得感、遇见、机缘记录下来，传达给受众，让读者"焚香看画，一目千里，卧游山水，而无跋涉双足之劳。"

这个集子是写实与浪漫有机结合的产物。客观事物瞬间即过的精彩画面，沸腾的万壑千山，精彩的微笑刹那，纷繁的变革痕迹，等等，把它们留下，用独特的镜头语言，独特的审美视角，抓住瞬间，留下永恒。他无比热爱家乡黔东南，真情实意地贴近自然、社会、生活，无限眷恋地热吻这片苍天大地，深情地拥抱这个伟大的时代，用心灵讴歌时代的大变革、大发展。《民族盛会》《盛世庆典》作者用光与影的浪漫手法、五彩缤纷的色泽，抓住时代风云际会的每一个刹那。他的作品把"两张名片"打造得异彩纷呈，达到了圈内迄今少有人逾越的高度。作品本身就像精美的名片、请柬，他用作品为家乡代言，再用作品向世界发出邀请，"君行千山又万水，请到苗乡侗寨走一走！"认识的不认识的，黄皮肤白皮肤黑皮肤的，五洲四海，纷至沓来，陶醉在百节之乡、歌舞的海洋，栖息在心灵疲惫后的家园而不舍归去……

他的许多作品立意高远，大气磅礴，正好是他胸襟广阔、正直不阿品格的折射与复盘。读罢，给人以强烈的视觉冲击，让人心旌摇撼，共鸣不已！

他赠送我一幅作品《云台仙山》，名字就有股道家味道，略一看画面也是飘逸遗世，超然物外的感觉。然却暗藏玄机，有画外之意。框装后挂在我书桌正对面，近在咫尺，或许是"面壁"思之日久的缘故，某天凝视画图，但见斜阳草树下，壁立千仞，万壑铮鸣，无欲则刚，恍然大悟作品的画外之音、言外之意。浮薄浊乱的世风，需要摒除诸多鄙习，精神颓丧需要顿开堵塞通道，从罅隙开出一束耀眼的光亮来。他善于寓巧于图，借图言志，通过某一张照片、某一个瞬间地捕捉，来表达或暗寓自己的真情实感、所想所思，这应该也是作品的一大特色。

"文章千古事，得失寸心知。"（杜甫）寸心，喻人生之短促，人之始终乃忽然之间，宇宙之大、天地之久，人的生命实在太渺小了。他用艺术的方式，在寸心里诠释生命的意义。无论怎样万物乾坤，斗转星移，人的生命如蜉蝣于天地，而用无声的图片，可以记载曾经的岁月，今后的百年、千年，可以诉说我们的昨天与今天。一者可告慰自己，不至于虚度了此生；二者对于人类社会，对于儿孙后代有个交代、念想。这样，即便有朝一日长揖世间，驾鹤西去了，亦无憾矣！

行走在乡间田野的诗行

——欧君武散文集《春暖花开梦》序

　　获悉君武兄弟第二本散文集《春暖花开梦》行将公开出版，本欲编发信息祝贺，却先收到他发来的信息。待读完他的信息后，发觉有任务了，拟要我为之作序，欣喜他的成就之余，感到有些诚惶诚恐。但凡作序者，要么高人大家，要么声名显赫之辈，如我才疏学浅，自愧难登大雅，然其情之真恳、意之真切，实难却之，只得贸然一试，以不至于忤了之间的情谊。

　　还得从与君武兄弟认识说起。确切地说，我们相识于文字，至少是我先读过他的文字后认识他的。窃长期当差于公门，操的是公文刀笔的苦活，因之对公文一向留意，对好的公文篇章常细加品阅，一者学习充电，二者阅识高手，相互交流借鉴，以提高自己。很多年前了，为原老州长石荣乾服务，一次到榕江参加秋冬种现场会，会前头天晚上嘱咐我为他准备一份稿子，并特意强调搞一些文采，我暗想农业秋冬种有何文采可言？结果未能如意，可在第二天的讲话中，他基本脱稿，文采飞扬，一开始就文采盎然："历史发展的史实告诉我们……"然后从《齐民要术》《天工开物》中引经据典，华彩辞章，信手拈来，无疑对我是启迪，是记忆的铭刻。君武的文章有此风格。记不清具体是哪年了，只记得在榕江县委组织部工作期间，君武在县政府办执掌文案刀笔，某次获一公文长稿，洋洋万言，尽管为公文，却与众不同，谋篇布局井然有序，结构严谨环环相扣，行笔流畅挥洒自如，尤其是恰到好处的文采，消弭了八股味，让我耳目一新。谁为执笔者，谁有此老道的文字功力？后打听为君武兄弟手笔。欣喜加钦佩，一念之间就已根植于脑海。之后，因文字而结缘，是文字打通了我们的情感世界。

　　十多年过去了，彼此间相晤甚少，但之间的友情，并未因时光荏苒而走远而淡去。对于他的信息，从朋友中获悉一鳞半爪，更多的是报刊。一是从省州里的文学刊物时常拜读他的作品。二是他在仁里乡、古州镇履职党委书记时分别办的两个小刊物（《今日仁里》《今日古州》）。当见到他的名字在文学刊物出现，或两个小刊物如期抵达案头，都会感到惊讶、欣喜甚至冲动。让我惊讶的是，作为一方第一责任人，履的是权责逆向、总统兼系统的职，能四平八稳地负重而行就不错了，哪还有精力心思、闲情逸趣办刊物，搞文学创作、爬格子？君武不但力行做到，还做得很好，琐务中他能拨冗尺牍，并频频刊印册典，足见他在人生历练中的本领。不要小瞧了这两个小刊物，蕞尔小报却有大功用，折射出了大道理，阐释政策、传播正能量、彰显比较优势、和畅乡风等无疑是其初心，但感觉到还有一个不容忽略的要义，那就是营造学习氛围、锻造队伍，君武应该是用这么一个小小的折页，来解读、践行自己的理念以及使命。如此这般，能为一种风尚，岂不更好！让我欣喜的是，他的文字更为精当，手法更为娴熟，情感更加质朴了。而让我冲动的是，想抽空与之一叙，每每读到《三盘灯火》《作别仁里》和写三宝、杨家湾以及远方西湖等文章时，举杯相邀，一醉方休的冲动不止一次地在心海里澎湃着，因为这些地方我也留下过足迹，却未留只字片言，辜负了诸多的良辰美景，让我好生惶惑、遗憾，然见到君武兄弟已然捉刀入册，又欣慰了几许。当然这不仅仅在于他已写了，而是在于写得很好，甚合我意。多次公干或途经榕江，侧面打听他是否在榕，均不巧合，人生匆匆，十多年的生命线被倏然剪掉了。所幸的是，生命线的萎缩，并未刷屏彼此间的友情。尤其让我感动的是，在没有思想准备的某一个时刻，他的文章、他的小刊物突然跃入眼帘，那股油然而生的喜悦与冲动的力量更是让人难以忘怀。

君武兄弟重情重义，或许这是我们血液、肺腑里涌流着的相同的情感基因。我还在塔石乡工作时，榕江有则笑话，某县领导说"我们最喜欢忠诚的干部、塔石（踏实）的干部和仁里的干部！"虽然调侃，却也庄严，因为当中蕴含着不菲的正能量。天下至德，莫过于忠；无愧俸禄，踏实为要；仁里，仁者居所也。于人于事，忠贞、踏实、仁慈能蔚为风尚，这正是社会大同的首选，这也无疑是我们心照不宣的磁场。有缘到这么一块昂扬着正能量意态的热土去尽献一份绵薄之力，冥冥中俨然一种天意。文以载道，情与义像一根红线贯穿全书始终，是这册文集中最醒目的"道"。家国之情、舐犊之情、血缘之情、同窗之情、黎民之情以及守土之责、担当之义、敬业之心……人世间立体式的真情实感跃然纸上，溢满字里行间，宛若一缕缕和风在心扉徐徐吹拂。而在载这些道时，作语真切自然，没有笔挟风雷、大张大合的架势，也没有奇异铺张的敷陈，一路走一路情，我手写我心，不过多地去捕捉那些惊鸿艳影，而是在乎、流连身边人身边事，平凡的人物事、所见所闻娓娓道来，如心灵喁语，如诤友诸人围炉夜话，流畅细腻的文笔饱蘸了真诚的情怀。他有一种超乎常人的能力，以独具的慧眼，洞悉身边司空见惯平凡物事中的美、大美，并入心入脑入诸笔端，这种能力源于他真挚得容不下丝毫虚伪的情感，源于情商与智商的珠联璧合。他的情感，有"即便是一块石头也会有了感情"的真诚朴实，有"择宽处行、谋长远义"的坦荡大气，有"尽管西湖有雨，你若安好便是晴天"的仁厚宅心，有"无论做人做事，只要出于公心，问心无愧，自然心地就会坦荡"的光明如雪。繁花盛开的情感世界里，他像一个辛勤而又真挚的园丁。

我很喜欢他睿智的哲思以及会意出来的笔法，这应该是文集的一大亮色。现读到一些文章，哲理思辨倒也深邃难测，意走笔端倒也机巧跌宕，然刻意深而奥之，玩文字游戏，故弄玄虚，让人读之少却了爽意，有的更是难揣其意，味同嚼蜡。更有甚者似与修辞、语法有隙，肆虐语法，拿主谓宾、定状补出气，颠来倒去，鼓捣出奇诡状，明明一语了然，却偏偏要巧言令色出若干机关，要明了其意，墨水喝得多些的亦须一番费解，少的则非得被弄出几缕银丝方可。而君武不同，他的人生启发，心得思考，哪怕是无奈喟叹，都是通过柔和优美的笔法会意出来，让人易共鸣，易桥接心路。你看："过了35岁的门槛，就该静下心来，梳理梳理梦想的果园了""即将进入人生之秋，自己的春花变成了秋实了吗""作别仁里，就像搭乘这趟列车，已经到站了，必须下车了，还得上另一趟继续前行"……类似的句子像格言警句，有哲味亦有诗味，拽将出来可独成佳句，重新楔入原文母体照又融合得无迹无痕。类似的佳句很多，不胜枚举。这些佳句像一颗颗闪烁着智慧光芒的珠子，散落在三十个篇什中，辉映着整个文集。翻开文集，读罢文章，心路历程于字里行间，真能让人"剪一段恬静的光明，映照着我们前进的路"。

出身乡间田野，又长期履职乡镇，这是人生中不可多得的一段路程、一笔财富，对笔耕者尤其如此，君武已由之获益匪浅。阅历的叠加，感性与理性的循环升华与智识地捶捣锻造，更给了君武写作以广阔空间、素材源泉，他的"春花一定会变成更多的秋实"，我相信自己的预判，理由是他的才气与勤奋。

国庆长假后，有幸到上海复旦大学充电，为期五天。白天上课，感受大上海巨轮引擎与时代风云的轰鸣，晚上展读君武发来的电邮，呛吸乡关田野的泥土芬芳。这五天，是我一生中别有意义的一段人生履历。于是，返程途中的火车上，涂鸦上述几行文字，权当兄弟间情分一场的回应。

生命之轮回

人死如灯灭，噗的一声，生命就陨落了。

人的一生，有两件事自己无从选择，那就是出生与死亡。生，生命的获得；死，生命的消失。生，有的人含着金钥匙出世，有的降生于颠沛流离的旅途，根本由不得自己。万寿无疆、寿与天齐只是祈盼，长寿药、仙丹是术士们行走江湖的道具而已。世上没有不死之树，也没有不死之人，寿蔽天地充其量顶多算得上一种精神疗法而已。西方爱讲民主、自由、人权，其实死亡才是人类最公平的人权。死神对人一视同仁，无论贵贱贫富好坏美丑，无论功勋国士伟人，还是宵小罪人，无论达官显贵还是贩夫走卒，一律平等。

生死由命，富贵在天。"命"即命运、运程，"天"乃天机、天意，也就是老庄哲学中的道。道，宇宙万物之根本，道生万物，人亦因此而生。若干父亲的因子竞争者，只有一个多则数个能得天道，突出重围，来到母亲的暖腹，冥冥中一切自有定数。娘胎孕育十月，一朝出世，宛若一片朝阳，霞光铺漫，在亲人的期冀中缓缓拔节，向阳而生，未来所向阳光明媚，此乃人间之至喜。待垂垂老矣，迟暮晚景，最终埋骨黄土，在悲泣中灰飞烟灭了，乃人间之至悲。一生一死，一喜一悲，这就是人生。

哭和笑，一种渲染情绪的方式。悲伤而哭、怒极而号、喜极而泣，孟姜女哀范喜良哭倒了长城，牛皋闻喜长笑而终。人生的始与终，都有哭相伴。人生之初，生命从温暖但却黑暗中奔突出来，原来世界多么的精彩，"哇哇……"哭声本能地表达心中的喜悦，用哭这么一种方式叩开了尘世的大门。红尘一世，在生命线上起始、行走，阅尽人间百态无数，历练几度春秋，沐浴几度微凉，到了尽头，生命断溶了，不得已画上人生的句号，这时是亲人的哭声相伴。袅袅梵音，凄凄切切，但拽不住离去的魂灵。

死，仅从字形看，就足以让人毛骨悚然。死，意味着生命的终结，为凡人所避趋。世间繁华，烟火暖人，比那黑森森、晦暗暗的阎罗地府要好得多。你想想，灵堂之上，一切肃然，诡异的神情，游离的目光，布道悬垂的巾幡，道师的黝黑的长褂，等等，给人的感受是森然的。因此，世人都期望能佛度有缘飞升西方极乐世界，又抑或得了道奔向琼池瑶台。

死，有不同的称谓，如牺牲、就义、驾崩、玉碎等，这与死法、身份、地位相关，还有寓含祝福的，如升天、归天、驾鹤西去等。至于老家有"去寨蒿挑盐"的说法，那属乡村俚语，但背后的故事不容小觑，让人动容。人终归于黄土，这是铁律，人们无选择的余地，但为何而死、何时而死却有自主权。死，有不同的死法，"人固有一死，或重如泰山，或轻如鸿毛"讲的是生命的意义与价值，究竟为何赴死。人们怕死，但也有不怕死的，为了信念、复仇、爱情……舍生忘死，唯有以死明志。自古以来，有为爱情蔑视死亡的，罗密欧与朱丽叶、梁山伯与祝英台为了爱而殉情；有为天下大道舍生取义的，荆轲"风萧萧兮易水寒，大丈夫一去兮不复还"；有为友谊赴汤蹈火的，关云长"千里走单骑"，重关千里危机四伏，把两个貌美如花的年轻嫂子毫发无损地交到义兄刘玄德手上；有为信念舍身取义的，谭嗣同的绝命诗"我自横刀向天笑，去留肝胆两昆仑"，视死如归；闺秀出身的赵一曼，甘将热血沃中华，任倭寇百般的严刑折磨，依旧大义凛然，从容就义，让人泪奔。

死亡，有君子之死法，慷慨激昂、壮烈就义，其重于泰山，也有为几文铜板拔刀相向的，因几言不和而血溅五步的，其死轻如鸿毛！文天祥的"人生自古谁无死，留取丹心照汗青"，要死，就要死得其所。有价值的死，死而不亡，为人称道，其生命永垂不朽。

按庄子的学说，死亡实际是休息，是一种解脱，"其生苦浮，其死若休"，要淡然视之。然而现实中，面对死亡，不同的人有着不同的心态。求生不仅是人，而且应该是所有动物的本能，害怕死亡是人之常情。强悍无匹者在死亡面前同样瑟瑟发抖，道貌岸然色厉荏者在惊堂木拍定死刑的一瞬同样尿裤子。只有看透了看清了的，才会在死亡面前淡定自若。水浒鲁智深钱塘江古刹"遇潮而圆，听信而寂"，当他问僧人圆寂即死亡后，并无丝毫恐惧，而是笑着吩咐道人烧煮汤水，从容地沐浴更衣、写颂子，安然离开尘世，因为他"平生不修善果，只爱杀人放火，忽地顿开金绳，这里扯断玉锁"，自去禅椅中坐了，"自叠起两只脚，自然天性腾空，噫咦！上潮信来，今日方知我是我"，度化超然而去。"天下攘攘皆为利往，天下熙熙皆为利趋。"金绳、玉锁，世间名利，红楼贾宝玉衔玉而生，最终抛却遁入空门。苹果创始人乔布斯弥留之际，手术刀的金属声传到耳畔，富可敌国的乔布斯，名利的意义在哪里，当死神的冷气吹拂他的脸颊时，巨大的财富不如一张餐巾纸，一片医用纱布，根本阻挡不了索命无常临近的脚步，在死神面前，生命照样脆弱得不堪一击。

万物暂见，人生如寄。万物有灵，万物有龄，距今两百万年的四纪冰川，万物消亡，数百万年间，地球冰雪皑皑，茫茫四野一片死寂。人在漫长的历史长河中算得了什么呢？人生一世，草木一秋，人的一生如同蜉蝣于天地，如涓滴于沧海，如流星于夜空，太渺小了。人不能预测自己能走多远，但能清醒地看到自己的倒退，明白自己甘于堕落，那是非常不爽的。人生是短促的，也是美好的，但走的是单程路，无法折返，行的是单行道，不能逆行。要努力为生，也要努力为死，活着时珍爱短暂的生命，莫蹉跎了岁月，莫虚度了光阴，活得人模人样。当死亡一旦来临，坦然接过黑白无常的请柬，迈上奈何桥，回眸乡关最后一眼，淡然而去，去天国，去另一个世界，去寻找下一段生命历程。

人生碌碌，似长实短。枯荣有数，沉浮难料，一切皆循天地之机。"死去原知万事空"，豪放派诗人陆放翁离世前的一声长叹，解析了来去皆成空、人生皆如梦的生死命题。

人生如棋局，下如序盘布局、中局鏖战、终局收官三步棋；人生如戏，用心演好自己的角色；人生如梦，梦醒时分，一切都参透明白了，从容轮回到生命的来处。

时光的筛刷

清　晨

近几年的履历，感触是很多的，这个冬至日尤甚。这个数九分界的时刻，我身处一直让我动容的滨江小城。人生有时像一场苦旅，而且是孤独寂寞的，不会有人始终陪伴着你，即使有也只是人生某个驿站的一段插曲。

这天清晨，独自在古老的街巷徘徊，一切遥远而又熟悉。晨曦透过薄如纱幔的雾，把我的影子抽象得特别的悠长，投影到锃亮的青石板、铜色的墙上，还有那似熟非熟的目光，像或长或短的拷贝。时光的幻影让我的记忆镜头展开回望。场坝街那小弄巷的早晨，热气蒸腾的濑粉，油汪汪、绿幽幽，已是十多年前的沉淀了。熟悉的声音自身后传来，令人欣喜的声符。木屋依旧，两出两进，粉香依然飘散，然一切都变了，屋子的主人被岁月苍老了容颜，青涩的目光变得混浊，悦耳的铃声被油烟呛成了菜市场的声音。往昔的时空已不复存在，木屋的沧桑，把我拽进了一种无奈。

循着古巷的岁月烟尘，一路顾盼，蓦然惊觉，时光星移斗转，世事五味杂陈。那一砖一瓦见证了多少的悲欢离合，霉苔斑斑的残垣断壁映照着往日的烟火。眼前的街道是仿古整饬过了的，朱颜已改，面目全非。修葺了的会馆，长长的青石板古街，两旁的民居，雕花的窗、翘起的檐、古铜的底色，历经数十年的风雨剥蚀，已岁月留痕，收藏了新的故事。

古街的记忆，在流泻的朝霞里发酵。回忆像匆匆而去的溪流，让生命之美潺潺流淌，有时又像登登的足音，在击节沧桑。光阴在筛刷，包括人去楼空，包括冷暖炎凉，也包括怦然一瞬。不必遗憾曾经的，这就是生活。也不必纠结过往，这是规律。往事如烟，已随风而去，留不住拽不回，唯有游离，以规避早已流逝了的曾经，尘封那生动的所有。好与不好，美与不美，善与不善，等等，有时那只不过是一个命题，一切都会成为过去时。

午　后

午后的阳光从来都是慷慨的，火辣辣地投向青山、河流、原野。

硕大的牌坊矗立小巷口，这是一座门，一座象征性的门，凝视着它，突然萌生出强烈的时空感。往内看，它像一面滤镜、一个万花筒；往外看，它像一面窗口，连接五榕桥、五榕山、都柳江至大千世界。

五榕山桥，这座桥历经了太多的风雨，除了桥的造型还算真实，它的身躯已被岁月的风霜折腾得千疮百孔，护栏、桥面、桥墩不忍目睹，已成了危桥，尽管如此，仍是热闹的所在，因为桥下端为三江汇流之处。混浊的江水翻卷着灰黄色的浪花，加入阳光的勾兑，混合成一股刺鼻的腥味，经由河风的拂送而弥漫开来。这是垂钓者的乐园，纤细的钓丝从桥上悬垂而下，愿者上钩、不愿者下流，钓友们点起了香烟，打发垂钓春秋的时光。"鱼儿都开会去了"，有的沉不住气了，怨艾、揶揄，循声望去，是一位壮硕又别具风韵的女汉子，这倒少见得很。观察她上饵、抛杆动作的流畅程度，气定神闲的样子，足见她深耕钓坛多年，感悟必多。问她鱼也要开会，她便滔滔不绝起来。近山识鸟音，近水知鱼性，或许等候钓鱼闲暇的话题感染鱼们吧，不多一会儿便有鱼儿上钩了。如果说这算是一种对自然界的征服，那么这就是走深走实、最佳境界的征服了。

五榕山的路径没有什么变化，还是那般崎岖、幽邃，榕树比以往又高大了几许。通往文笔塔的台阶布满落叶，杂芜茂然，藤蔓疯长，但已少了探寻的人迹。寺庙修葺过不久，比原来靓了许多。善男信女不少，听说是佛教某菩萨的特殊日子，显得颇为热闹，只因疫情防控，大家都必须戴口罩，就显得有些滑稽。人头突然攒动起来，一信女昂首指着古榕树梢，激动地说菩萨来到那里了，人们互相簇拥，翘首张望，虬曲的枝条叩向晴空，热辣辣的阳光透过枝隙照射下来，湛蓝的穹隆、飘移的白云，就这些。那信女更加神秘，坐骑什么样、着何色衣服、扣人心弦的梵音，绘声绘色，信徒们肃静虔诚的表情，对她的慧根与禅性似乎有些膜拜了。庙堂神像前香炉里，香烟袅袅，徐徐绕梁再窜出庙顶朝蓝天升腾而上。侧面装潢一新，二十四个红底白字，很是耀眼，生动地跃入香客的眼帘，我感到有一缕格外的硝烟，阵地争夺才有的烟味，经一番回味，觉得这是一种融合，从容地融入，成为别样的况味，倒也有趣得很。

寺庙外沿江而下的沙滩还算宽阔，是县城的菜篮子。有菜农冒着炎炎烈日，打理园畴。洪水滔天时，一片汪洋；洪水消遁、水落石出时，一片茵绿。这也有一种征服与争夺，水涨人退、水退人进，拉锯似的循环往复，菜园时沉时浮、时隐时现，菜农们经年见证，不知历练了多少代。水落石出、人生沉浮，自然与社会有相通的哲学观照。

傍　晚

杨家湾，一个村落，像一艘大船，湾泊在三江合流之处，与古码头有着天然的联系，因而这个名字在这一带名声很大。古码头又称大河口，提到大河口，人们的思绪很容易切换到杨家湾上，杨柳依依、杨柳赠别，这是诗意化的惯性。"杨柳渡头行客稀，罟师荡桨向临沂"，旧时码头的行客、风物已今非昔比，早已作古成为历史记忆，只有水柳仍然磻居河畔，纤细的枝条在随风飘摇。

尽管古码头已一去不复返，但那段历史远比一个村落的意义重要得多。古码头像一个智者，灵动地书写着这一疆域的历史，以古码头为原点，循江河、源山路外延出去，把四面八方的文明、风貌、物品，聚散、交融、裂变，引领山村文明循历史之河滚滚向前。

傍晚，酡红的霞光洒向崇山峻岭、洒向水乡泽畔，我披着暖和的霞光，独自漫步杨家湾。数十户人家掩映在滴翠的绿里，是名副其实的依山而居、傍水而渔的幽居佳地。一条小径从寨脚往山的深处寻幽而去，路的外侧为桑麻沃地，青葱的庄稼染绿了纵横的阡陌。茂林修篁与河风咬耳，合奏出微微的沙沙沙的田园交响曲，宛若天籁柔情，像是对我这个稀客致以迎接。幽径的尽头是水电机房，走过坝子顶端，回眸一望，豁然开朗，"山重水复疑无路，柳暗花明又一村"就是这个样子了。衔远山、吞柳江，满目是远阔的意象，浅黄色的沙滩、不舍昼夜的水、挺拔修长的竹、高低不定的青峦……悉数奔来眼底，陈年旧事、日暮夕阳则在助我怅然。

踱回码头时，已是酉时下刻，在古时应该掌灯了。

码头，读初中时南寨有，读高中时剑河有上下渡口，上渡口亦是码头，有文人墨客赋以"西溪渔火"之誉，以显昔日之盛。大都简陋，船舫无多，排筏蔽江之盛偶尔有之。随着公路触须的纵横通达，码头、渡口就渐渐被人遗忘了。船，是码头、渡口的核心要件，此时的大河口码头，已没了一条船，白天散落在其他河段两岸的小舟，为菜农来去方便，玲珑小巧，随意停靠，无须码头。古州曾有小东门、江西、大河口三个码头，滨江花园的修建，小东门、江西码头就已面目全非，只剩下理论意义，以资后人怀古凭吊了。

大河口码头的命运要好得多，码头的功能已丧失殆尽，但地理区位的缘故，存在感依然十足。仿古的建筑很漂亮，两岸的灯光也很华丽，似在抢夺人们的怀旧心理。似桥又像坝的水泥通道，气派的建筑，残缺的仿古物什，表象之下，码头的古味却稀释了。淡云微月下，四周的山显得有些幻化。河水汩汩而泄，似在陈诉历年旧事，灯光挽着微月摇落在河里，渐起的和风将光与影揉得光怪陆离，乳白色的薄雾凑起热闹，轻丝曼缕，涌向江面。遥想着当年码头之盛，排筏横陈、船帆猎猎、捉橹长歌……咿呀咿橹的乌镇，弦吹声沸腾遍了三里的秦淮河，华灯璀璨的彩舫停泊在舞阳河，这些绮思都驶不近眼前的境遇。轻舟画舫掠剪柔和的波光，华灯彩绘下的繁华、火热、温煦，这是河面平而如镜的旧时意境。江南的河，仿佛总是妆成一抹胭脂的薄媚，眼前的河流不同，湍急奔腾、桀骜不驯，十足的野性。

哗哗的水浪清音，散乱的灯光下，我的思绪活泛起来。朱自清、俞平伯笔下秦淮那美妙的桨声灯影、篷船画舫，忽明忽暗，但眼前找不到切入的契合点。倒是有一股脉动的历史径流浮现于我的脑海。古州受荆楚、岭南、川蜀文化的多向吹拂，古有孔明七擒孟获的讲述，近有红七军部的红色赓续，还有八大会馆的商业基因，因而青山不老、文脉有代。家父遗文《我的回忆》，对码头留有文字，黄质夫领衔的国师风云，涌动于显赫文脉历史的辉煌一页，随着黄老先生大河口码头挥手阔别，那一页就暗去了。

历史就是历史，终归随流远去。时光的筛刷下，唯有冥思、回忆。

还节于民

小时最喜欢过节，因为但凡过节都会有些肉吃，还能吃上一顿饱饭。特别是那几个大节来临的前几天，心里涌动着的欢喜，恐怕这世间上找不出多少与之有可比性的了。

因之，过节就成了一种强烈的期盼，尤其在寒冬腊月。离过年不远了，盼星星盼月亮，掰着手指数日子，到了腊月二十三祭祀灶王爷升天，打扫尘除后，那种兴奋感就更是浓烈，想到那香喷喷的泡汤肉，想到那清香四溢的糯米饭出甑倒在粑槽里捶捣成圆圆的过年粑，再盖上红红的粑印或饭豆为馅的豆粑……就会垂涎欲滴，就会从梦中笑醒。那些时日里，父母亲吩咐的所有劳作，都是欣然去做，以最饱满的热忱去完成，街头巷尾与不管认识与否的行人相逢总是报以最灿烂的笑靥，仿佛整个山乡都洋溢着欢快的音符。回想起来，那是最幸福的日子。"爆竹声中一岁除，春风送暖入屠苏。千门万户曈曈日，总把新桃换旧符。"（王安石《元日》）过年，在心灵的千呼万唤中来临，制备年夜饭、张贴春联年画、祭祀先祖神灵、鸣放鞭炮等次递展开。一元复始、万象更新、春满人间这些意境高远的春联词句，火塘上年夜饭弥漫着的肉香酒香，家人间的脉脉温情，寨子上空此起彼伏的鞭炮声，所有这些把喜悦的激情渲染到了极致。

第二天，从满足中醒来，兴奋与喜悦延续着，一直到元宵过后，又开启了新一年逢时遇节的等候与期盼。清明挂青中缭绕的青烟、糯米饭，三月三甜津津的三月粑（甜藤粑），立夏节的土鸡蛋与笋萌，端午节那飘散着清香的粽子，六月六那悠远缠绵的山歌声，七月半的桃源洞、开田捉鱼，八月的饼子、毛豆角以及又大又明亮的满月，九九重阳的汤圆，还有"独在异乡为异客，每逢佳节倍思亲"的诗句，扯尾巴（过生日）的刀头肉香等。时光飞逝，节变岁移，不停歇的翘首等待中，寒冬腊月又到了，又要过年了。就在这样的年复一年的期盼中，我慢慢地成长。因为有了周而复始的等待，我的童年尽管苦涩却也揉捏进了快乐。节日是乡愁，是亲情与相思，是童年美丽的梦。

曾几何时，我们的节日却时过境迁，有些变味了。烙印记忆深处的节日里，让我们兴奋得忘乎所以的好多风物与旧事，不知何时被抽丝剥茧无奈疏离并日渐遥远了起来，一些节日似乎成了一种道具或少数人衣锦还乡的去处，一种短缺了肉与灵的、枯燥与乏味的形式或外壳。有时抵达到了某个节令已没了往日的激情，节日已不能再为我们安放乡愁了。

我们生活的这方大地节日富集，这块以苗侗为主体有三十多个世居民族的热土，有"百节之乡"之誉，所谓"大节三六九，小节天天有"。众多的节日异彩纷呈出了"舞的世界，歌的海洋"，令人眼花缭乱的歌舞传承着苗侗等各民族的历史文化、审美取向、是非观念。世界上所有的民族都有自己的节日，节日是各民族为了生活生产而创造出来的民俗文化。每个节日的产生都会有自身必然的缘由。或因宗教信仰，如元宵节玩龙灯、端午节赛龙舟、招龙节的招龙等，源于华人对龙的图腾崇拜；或缅怀祭祀、凭吊先祖，如清明节、苗族的牯藏节、侗族的萨玛节等；或大事纪念，如五一劳动节、五四青年节、国庆节等；或理想期望，如乞巧节、中秋节等；或传统习俗，如春节；或日常衍生，护士节、教师节、记者节等，有职业群体性。除节以外，还有五花八门的日，如大圣大贤的诞辰纪念、重要事物倡议纪念等。节日的孕育、存在并不断传承，使得各个族群的生活绚丽多彩。节日的出现与沿袭，无疑好处太多，每个族员尽可能平等地从中快乐着。

然而，时代飞速发展，使曾经让我们兴奋得从梦中笑醒的一些节日，不知不觉间却嬗变了，有的还变得有些奇怪，有的节同时异、面目全非。

难以寻回。某年春节后，到友人家小酌，其子突发高论："过年太没意思了"。此语有些惊世骇俗，但我仔细琢磨，觉得不无道理。数十年前过年的那一幕幕已永远无法复制，纵然人类聪明绝顶，可以登天，却复制不了记忆的过往。

世风在变。民族的，即世界的。地球村的骤然形成，大数据引爆的时代剧变，使全世界各民族的文化交流有了更为便捷的通道，节日扮演着独有的不可替代的角色，就像浩瀚的海洋上游弋的航船载负着各种各样的风俗文化往来交融。中西方思想碰撞出的火花在一些节日里闪耀着，从西方传播而来的诸如圣诞节、愚人节、情人节等，是弄潮儿的舞台。

泛滥成灾。每个节日的背景都有自身功能和价值，有其深厚的历史文化内涵，然有的"人造"节日却不伦不类。纷纷扬扬，你方唱罢我登场，看是热热闹闹，却索然寡味，参与其间，好像是参加一场滑稽的游戏，始终找不到半点过节的感觉。有的人热衷于造节，不弄出个节来热闹热闹，来花销花销，便心里添堵。有的人留恋节日场面上的无限风光，一朝没了少了，便很失落。有的人造节日，找一些文化人臆想一番，牵强附会上一些模棱两可的历史故事，让人莫衷一是。有的节日则鄙陋不堪，如某个地方的造节高手创造了个什么狗的节日，就叫人大眼镜。

劣质外包。传统节日大都因年代久远而富含魅力，这种魅力有时只能意会却难以言传。相对情况下，艺术的生命在于发展，在于创新，一成不变的艺术一般都是没有生命力的，就文化而言，创新是一种文化自觉，一种文化自信基础上的觉醒，因之保持原汁原味与发展创新并无矛盾。有的文艺魅力源于不断推陈出新，有的则源于原生态、原汁原味的坚守，这里有一个因地制宜，具体问题具体分析的哲学命题。然有的专家学者实在太聪明了，时不时想着露一手，以"拆掉富含生命力的历史遗迹，而乐于去盖虚假的仿古街廊"为乐，在一些很古老的节日里来一点所谓精深加工，搞一搞所谓的艺术提炼，实施所谓的与时俱进的再创作。艺术来源于生活而高于生活，但要说艺术来源于民间，则不一定都会高于民间，因为高手自在民间。文艺创作固然要到基层、民间、民众中去体验生活，汲取养料，到大自然、田野中去培育灵感。但传之久远的约定俗成的节日，根本不需要所谓的高人自作内行的去添油加醋，去画蛇添足，去"节"外生枝。有的寨子依山傍水、风格独异、民俗独特，却被"鹤立鸡群"的钢筋水泥、瓷砖铝合金横插一脚，整个寨子面目全非，不忍目睹。有的节日文艺表演、景区表演节目经所谓高人的策划包装，外行看来精彩华丽，似也特色浓郁，似也古色古香，似也文化盛事，然外行看热闹，内行看门道，入目的破绽让内行除了心疼、愤懑外，别无他法。不过也罢，当下的部分旅游者都还就是那么些水准，刚好与之相匹配。那些高人们旁生枝节的自作聪明，那些以讹取铜板为目标的标新立异，如同在一锅其鲜无比的纯原生态土鸡汤里放入一把味精或其他调味品，纯正的变成了化合的，单纯的变成了复合的，上好的美味变得不伦不类了。

节而不节。说起节日，我们不妨掉一下书袋。节的释义，《现代汉语词典》里的解释有十多种含义，其中第五条："纪念日或庆祝宴乐的日子，即节日。"许慎《说文解字》："竹，约也。约，缠束也。竹节如缠束之状。吴都赋曰："苞笋抽节。引申为节省、节制，节义字。从竹，即声。子结切，十二部。"《康熙字典》有更详细的解释。由是观之，节约乃节的内核。节日作为纪念与庆祝的日子，宴乐是理所当然的，但必须既要节还须约，即节约，节俭约束，把节日里的宴乐控制在合情合理、恰到好处之内。或许是"不管黑猫白猫，只要捉到老鼠就是好猫。"这一招很管用，亦一度很正确，激发了一些人突破发展困局的灵感，原来以资纪念宴乐的节日里面潜藏着巨大的商机。"节日搭台、经济唱戏"或"文化搭台、发展唱戏"，成了一个时期最时而尚之的词语，顿时长城内外，大江南北，掀起了一股股借助节日文化效应推动区域经济尤其是旅游业冲出困境的热潮，有传统节日的充分依托优势资源、借船出海、借势发力，没有节日的亦步亦趋想方设法杜撰、创造出来。不容置疑，上层建筑作用于经济基础，文艺服务于经济建设，传统节日承载的古老文化元素透过现代文明再现出的新生活力，在助推经济文化、旅游产业发展再又反哺节日上立下赫赫功劳。一些办节初衷是很好的，这已为实践所验证。然一些怪事也出来了：传统的硬塞进时尚的，原小打小闹的搞得很有规模，奇缺的无中生有。特别是攀比奢豪、推陈出新、光艳形象等上演得愈来愈烈。窃曾南来北往，阅节无数，但见一些节日铺张扬厉、气势恢宏，遑遑大观中争先恐后排场小了、气场弱了。如何撑起排场，又如何撑起气场，如何吸引眼球？当然是人了，是明星土豪、高大上，这个群体可不是平白无故地就会给你来撑排场气场的，只有敞开钱袋子，大把大把地亮出白晃晃的银子，再择取时鲜海味、搜寻山珍异兽，大摆筵宴，奏响箫管丝乐，如此排场必大矣，气场必旺矣。据媒体传播，某个约二十余万人口的国家级贫困县，为了办节，光请明星就花掉了数十万元，平均每个人口一包盐巴钱。那明星来了，涂抹粉黛，登上戏台，唱上两首受众已很熟悉的歌曲后，喜盈盈地笑纳了，然后心安理得地走了。留在其身后的是一大群策划者组织者们依依不舍的饱含眼福与自豪感的艳羡目光，以及很长时间的甜蜜回忆。

　　节日缺不了宴乐，相反没有宴乐的节日不合规矩，把宴乐管控在财力心情能承受得了的程度之内，是过节的"题内话"。国宴是宴乐的最高规格，国宴古已有之，大约始于周朝，当朝君主择定于某个特殊日子大宴群臣。但最有名的是宋朝和清朝。北宋有名因其节约，清朝有名因其奢靡。北宋末，风流赵佶捡了个"爬爬"，先皇病死后无子嗣继位，向太后力排众议，将风流赵佶扶上金銮殿，即历史上有名的宋徽宗，这个"百事皆能，唯不能君"的皇帝，一生成就了两件可"笑傲江湖"的大事：一是诗文书画颇有造诣，书法瘦金体就是他的手笔，二是大批量重用奸臣而亡国，亲吞靖康之耻的苦果。赵佶虽贪玩好色，嫖娼狎妓，却崇尚节约，他的国宴上区区十余道菜肴点心，并无燕窝熊掌之类，比一些节日的宴乐还要差了许多。但他过度沉迷女色、沉浸书画，全忘了身居庙堂、经国济世的本业，狎近奸谀，把好好一个国家交给一帮奸臣、无赖去打整，不亡国才怪。赵佶节约，他戏称创瘦金体是为了节约墨汁，他的近臣们却不买账，背着他大肆搜刮民财，又怂恿赵佶修什么园林艮岳汇天下珍奇以供玩乐，借机渔利敛财。他所倚重的巨奸蔡京，为做一味蟹黄馒头，就花钱一千三百多缗（一缗为一千文）。还有宦官童贯、无赖高俅等。整个社会乌烟瘴气、民不聊生，方腊、宋江揭竿而起时，尚能扑灭，金人来了就只有做个听话的俘虏。到了清朝乾隆后，国宴之规模之隆重登峰造极，"千秋宴""千叟宴"等名目繁多的国宴极尽奢华。据载，清廷国宴以官阶等级排席位，一级一人一席，其次二人一席，再次之三人一席。三人一桌是人数最多的一桌。皇后席菜肴茶点 32 品，其余妃嫔亦 15 品。奢靡的国宴造就了满汉全席：菜肴 196 品，点心 124 品，共 320 品，三百多道菜肴，恐怕净坛尊者猪八戒临凡也吃不消，吃不完倒潲水桶了就是，又不是花自己的，民脂民膏而已。有位文化学者说，从乾隆时已看到了清王朝的凶兆。实际统治晚清王朝四十余年的慈禧更胜一筹，先是强行挪用北洋海军费用为自己修建游玩的颐和园，日寇磨刀霍霍，扛起大马刀挥舞来了，竟熟视无睹，再又醉心于挪用海军费用为自己的生日举办六十寿宴。导致甲午海战全军覆没，成为清王朝的掘墓人。北宋与清朝的覆灭有个共同点，与贪腐奢靡有关，赵佶旁边有蔡京、童贯、高俅等群小，乾隆身边有巨蠹和珅。慈禧则亲自披挂上阵，大捞特捞，连保家的国防银两也不放过。过一次生日可够数十万平民生活一年。八国联军来了，她率一干人众狼狈鼠窜。外患汹涌，内患天灾大旱，民不聊生，灾荒大肆收割无辜的生命，到了人吃人的极端危境，照样大肆搜刮金银钱财、奇珍异宝、山珍野味达，供自己无度挥霍。因之，有人戏谑之，慈禧是人类历史上最优秀、最称职、最全心全意的王朝掘墓人。

　　传统的佳节、时尚的佳节，当然要理直气壮、大张旗鼓地保护、传承、发展。节日吸附着的文化是民族自信的源泉，是提振精气神的法宝，是构筑精神高地的有效路径。通过办节聚人心、凝力量，推动产业调整，推动创新、协调、绿色、开放、共享发展和走出经济凹地大有裨益，因此不但要办，而且还要善办大办，办出累累效果，办出快速发展，办出后发赶超。然作为特殊日子的节日的宴乐，还是躬行节俭为好。有些节日，还是宁缺毋滥为佳，即便食之无味弃之可惜，那也得尚俭戒奢。

　　10 月 31 日乃世界勤俭日，这个节日的倡议与确立太好了，提醒人们不要忘了古训："一粥一饭当思来之不易，半丝半缕恒念物力维艰。"

球　事

　　人类最离不开的恐怕是球了，因为我们的家园就是茫茫宇宙的一个星球——地球。从某种意义上讲，球就是人类的衣食父母，因此我们很有必要关心一下球以及球事。本文讲的不是天体运行的星球，而是用于娱乐的球。球的种类有很多，但最贴近普通民众的却甚寥寥，就我等而言，不过篮球、乒乓球、足球、羽毛球几种而已。

　　乒乓球，窃乃天生的门外汉。可后来得知，正是这么个小小的球儿，以给一个支点即可撬动地球的气概，硬是撬开了东西半球两个大国的外交大门，两个居于太平洋两侧的大国对峙几十年，最终"相逢一笑泯恩仇"。再后来，世界体坛风起云涌，群雄争锋，豪杰辈出。高手过招，胜负毫厘之间，在健儿多路出征而铩羽之秋，乒乓球员们挺起民族的脊梁，让国歌在奥林匹克之巅嘹亮地奏响。

　　排球，自20世纪80年代初以来，我对它一直充满敬意。当然不仅是那圆溜溜的皮球，而是那个连续几年将排坛金字塔上的明珠摘回祖国的队伍。铁榔头率领团队，在排坛纵横捭阖，"接球……扣杀……"如虎啸龙吟，奏出了一个民族的最强音。

　　羽毛球印象不怎么深，长年伏案使然，肩周炎便找上了门，托羽毛球的福，肩周炎这一富贵病竟没能任性去做大做强。

　　对于篮球，小学时就已晓得并接触。那时的小学校，千疮百孔，破败不堪，简陋的篮球场是我们课间的唯一乐园。其实，这算不上真正意义上的球场，这个球场只有一样是最真实的，即地道的水泥球场，十分有时代特征。晴空万里时，球场在我们的运动下，会扬起阵阵灰蒙蒙的尘土，好像在为碧蓝的天空增添不甚协调的色泽，亦像张翼德鏖战长坂坡时用马尾巴将树枝拖出来的扬尘景观，也像蔚蓝色的天空上那喷气式飞机的尾烟。细雨绵绵，球场泥泞一片，我们为了一粒球在上面左冲右突，摸爬滚打，好像某特战队在进行魔鬼训练。球场长度宽度与标准相差甚远，而且只有半接，球场上的篮球架摇摇欲坠，篮球板凹凸不平，远远望去，像一个迟暮的老者在那里佝偻着身躯、耷拉着脑袋。铁环型篮圈被岁月刮擦得锃亮，篮球板残缺不全、长短不一，每次承受我们投掷篮球时都会发出怪异的响声，宛若沉疴已久的老人受到重击后的痛苦呻吟。现在人们都爱拿长短板说事，补齐短板，做优长板，比喻业途的优劣，扬之长而避之短，趋其利而避之害。家乡远在群山，山高林密，弄几张木板将短板补齐，就是重新建造一个新的坚固的篮球架，又有何难？究竟为何任之于如此不堪？现细想起来，也难怪，那时早出晚归挣工分养家、披星戴月劳作以糊口，没那闲暇，饥肠辘辘，也无那逸趣。哪里还有人去管那或长板或短板的篮球。篮球为塑料所制，天长日久，球面的粒齿被磨掉了，尤其在雨天传球运球很是不易，心中不由暗衬篮球的发明者为何不安装上一个把子。有一个把子，岂不让人更好把握些。长大后，由于小时候营养不良而个子不高，身高问题设置了一道不可逾越的门槛，由之我与篮球渐行渐远了，但观看的兴致却未消弭，但凡有精彩的赛事，尽量趋赴捧场，尽一份业余啦啦队员的本分，若是某队有乡情友情的元素，那就更不消说了，信息传来，总是趋之若鹜，四十五分钟的攻防战，高潮迭起，看台呼声雷动，整个心潮为所属的球队而动而起伏着，进攻得手时随之而喜，失利时为之扼腕。心情的阴晴如何，完全系于了球队、球员的表现以及赛事的迭旦起伏。在我的生活圈子里，就有那么几位让我的心情一直艳阳高照的兄弟、挚友。

足球，有别其他球类。几乎所有供人们把玩娱乐竞技的球，都是离不开双手的，唯足球反行其道，只能用脚踢，亦可用头顶，用手则属持球违规，但队员里只有一人可以用手，即守门员。当然这都是三岁幼童都晓得的。只能用脚踢的足球，是地球上最具影响力的运动，其粉丝的痴迷乃至疯狂程度，无出其右。甚是遗憾，在既令人痴迷又令人瞩目令人神往的竞技场上，泱泱大国的国足征战数十年，却未能让国人从中分享到半杯羹汤的喜悦。清晰地记得，大学期间，曾经是足球的忠实粉丝，踢球看球赛是四年大学生活的题内话，一次观看国足赛事，其表现让我心情大受其伤，粉丝的忠实度受到重挫。毕业了，不知过了多少年月，尚还有抱着试试看的心理去做一个已不是很称职的看客，可是每次好不容易从潜意识里鼓动出来的丁点希望，一次次地破灭。国足的表现实在让人大迭眼境，心灰意冷，与之生分起来了。这不能不说是极大的遗憾。

要说玩足球，我们绝对是足坛的祖师爷，我们的祖先在两千多年就玩起了足球，不过古时不叫足球，而称之为蹴鞠，大约是唐代才通过丝绸之路传向西方，经英国改版成了现代足球。我们经常说"古为今用，洋为中用"，洋人在这方面有许多比我们做得好。中国古代有许多发明，被洋人拿去之后而反超。比如四大发明的火药，当我们还沉浸在玩烟花爆竹自得其乐，沉醉在"爆竹声中一岁除，春风送暖如屠苏"的浅唱低吟时，西方列强却已将火药制成了坚船利炮，毫不留情地轰开了早已锈迹斑斑的闭关锁国的清廷大门。足球亦如此，风靡于唐宋、沉沦于明清的蹴鞠，经洋人改版而成了世界上规模最大的单项运动项目，而今全球有40万支队伍常年参赛，四千万人参与足球运动以及与之相关的业态，世界杯时约20亿人收看。我们的国足只能跟在后面，慢赶紧赶，堵心得很。

"三百六十行、行行出状元"。干任何行业，只要持之以恒地潜心修炼，以不忘初心、砥砺前行的勇气与意志，践行好知行合一，都会迟早出道，智商情商均高者，还会出类拔萃，攀摘状元。练枪法的会出百步穿杨的狙击手，练拳脚的会出武林至尊高手，常年手握勺把子会操盘出一桌满室馥郁的酒席。就连卖油的老翁也在岁月的历练中怀有绝技。足球也不例外，巴西球王贝利、外星人罗纳尔多、阿根廷的马拉多纳、法国的齐达内……世界上足球明星不胜枚举，各国的巨星们像一座大海上的航灯，照亮前进的航线。

只能用脚踢的足球，是不容易把握的，这就使得在这一竞技场上带有偶然性。技艺再好也不一定稳操胜券，人的一生有时就像踢一场足球，充满着偶然性，只要终场哨没有吹响，什么偶然性的运势、局面都会发生。人生的终场哨未吹之前，耐心等待着，或许有我们期盼的"偶然"瞬间闪现也未可知。

2016年仲夏
写在法国巴黎世界杯之际

鼠趣（与老鼠的战斗）

20世纪60年代出生的人，都不会忘记两个"四害"斗争。

四害即老鼠、苍蝇、臭虫、麻雀，它们不是自觉地搞团团伙伙、结党营私，而是人类以其沆瀣一气的恶性归的类。曾经"绿水青山枉自多，华佗无奈小虫何"。这四个家伙为非作歹、肆意妄为、臭名昭著，人苦之久矣。于是发起了一场浩浩荡荡的斗争，斗争不仅声势浩大，而且异常激烈，专门成立了一个叫爱卫会的单位来指挥战斗，舵手亲自上阵，挥动如椽大笔"扫除一切害人虫，全无敌"，拉低强大的反动派、纸老虎与四害扎堆捆绑，务求除之而后快，蚊拍下处，四害们抱头鼠窜。

在山村，与四害战斗，关乎生存之战。臭虫，固然可恶，因为地处高寒，大概不适合这个种族的繁衍，遗祸不多。苍蝇，个头不大，却名堂多，"有几个苍蝇碰壁，嗡嗡叫"，让人很不省心，每年夏秋两季，前赴后继地向我们发起全方位攻击，只要是无蔽体之处都是它们的主战场，到仲秋过后才偃旗息鼓，休兵罢战。至于麻雀，那是值得商榷的。最激烈的、最让人头痛要数老鼠！

与鼠缠斗，旷日持久，一年四季斗过不休。历史以来，人鼠之战就从来没有停歇过。印象中，与老鼠的战斗，我们鲜有胜利的记录，或者说从未取得过决定性胜利。而且基本上处于守势，防御性地接受挑战，不是我们无能，而是鼠辈们实在太狡猾。你看嘛，在黑漆漆的夜里，鼠们神出鬼没，来时似幽灵，去时若疾风。有时我们也主动出击，但大都收效甚微，大都铩羽而归。夜幕降临了，一盏盏松明灯点亮了山村，山里人生火做饭，侍候六畜，一应家务收拾完毕，已是疲惫不堪了，双眼皮像挂上千万斤石头，纳头便睡，顿时鼾声大作。养精蓄锐了一天的鼠们以逸待劳，从巢穴大摇大摆，招摇而出，开始劳动。可气的是，它们不是从事生产劳动，而是纯属偷盗行为，专门扒窃我们的口粮。与一伙盗贼为邻，注定了不得安宁。报道某村"防火防盗防记者"，不晓得什么是防记者，但防火防盗那是经历过的，防盗主要是防鼠。为防鼠贼，可以说是极限地发挥了主观能动性，可还是防不胜防。它们暗度陈仓，好像有缩骨功夫，细小的罅隙，像变戏法滴溜溜就倏忽而进，毫不客气地吞噬我们的粮食，全然不考虑我们口粮无几，不顾我们已满脸菜色。我们用木板堵住鼠洞，但也没太碍事，这个又叫夜磨子的家伙，有着尖利的当门牙，像倚天剑似屠龙刀，叽里呱啦，不用多少工夫，就啃出一条康庄大道。唉，真是家贼难防。开饭啦，三个一堆五个一伙，不慌不忙地就围桌就餐，主人家那如雷的鼾声仿佛是在为它们击节伴奏。更可气的是，吃饱了，还不遁入老巢，而是继续美好生活需要，搞一台文艺晚会什么的，晚会似经过了彩排，独唱合唱集体舞蹈，依次进行，有模有样，女高音独唱是它们的压轴戏。"叽叽叽""嘶嘶嘶"，尖锐刺耳的声音划破夜空，足以把鼾睡如泥的主人从梦中吵醒。鼠们并没有惶恐，而是依旧我行我素，一点也不低调，继续它们的"两个文明"建设，索性再来一场运动会，跳高跳远长短跑，有时又杂技表演空中飞鼠，有时还像军训拉练、齐步走……不气主人到吹胡子瞪眼不罢休。鼠不犯我、我不犯鼠，鼠若犯我、我必犯鼠。顽敌如此挑衅，是可忍，孰不可忍，人鼠大战就此打响。一手掌灯一手执棍一路追击，然无济于事，哪怕身怀武林绝没学，也派不上用场。面对鼠辈，英雄气短啦，那份憋屈，唉！我认出来了，那只肥大的鼠是带头大哥，去年也是它领的队，可恶至极，你看它为了立威，目中无人地忽东忽西、忽上忽下，简直欺人太甚。这不，它又窜到三开柜顶的土罐上，来个金鸡独立，还向你挤眉弄眼，气不过那嚣张劲，一招横扫千斤过去，倒也精准，满以为稳操胜券，却"哐当"一声碎响，土罐英勇就义，带头大哥已然不见踪影，留下的是一阵嘲笑，留下的是主人无可奈何的愤懑。看着你沮丧的样子，它那一干鼠众，在某一隅里窃窃私笑呢！

小时听大人们讲，老鼠是一种灵巧的动物，有自己的社会、世界，比如老鼠嫁女就是个缩影。老鼠们穿着红艳艳的衣服，老鼠新郎骑在癞蛤蟆上，老鼠新娘坐着花轿，由四个老鼠轿夫抬着，一路吹吹打打，热热闹闹。不过尽在晚上办事，严重干扰了我们睡觉，把自己的欢乐建立在别人的痛苦和烦恼之上，太不够意思了。

鼠辈们，这事没完。来日方长，有的是办法对付你们这群鼠辈。此后，与老鼠斗智斗勇的持久战成了生活的一部分。对付老鼠，要战略上藐视，战术上重视，方能奏效。我们施展了一系列的战术、招法。第一招，虚张声势，打草惊蛇。入寝前，置备一根木棍于床头，一旦闻听老鼠的动静，随手用木棍击打门枋，"乒乓、乒乓"，顿时夹起尾巴作鸟兽散，一次两次还行，三次就失灵了。胆小的尚有些惶恐，胆子大的尤其是身经百战的，毫无用处。"拍簸箕吓麻雀"，可能是从麻雀那里学到了什么经验。城门失火、殃及池鱼，惊走了鼠，也惊醒了一大家人，实属下策。第二招，巧设机关，诱鼠深入。用木头打制像火斗大小的箱子，之中用木槌、发条、麻线、木板设置机关，然后放诱饵于低端的垫板上，再置诸老鼠出没频繁处，便高枕无忧，等候捷报传来。半夜，"哐当"一声闷响，接着"吱吱……"凄厉的哀鸣，就知道已克敌制胜啦。第二天，我们兴高采烈地拾掇胜利果实，修缮一番，掺和少量盐巴后挂到炕上烘干，十天半月后便可牙祭，慰劳一下清苦已久的肠胃。同样，一次两次还管火，三次就形同虚设了。第三招，引入同盟，远交近攻。猫是鼠的克星。从牙缝里省下口粮，喂了一只猫，不愧为鼠之天敌，从猫崽喂起，直至长成一只大灰猫，随着猫的加盟，老鼠们的气焰收敛得太多，只要喵喵喵声叫起，估计鼠的腿都会打战，满以为我们就此清静了。谁料想还是出现了意外。先是鼠辈太多，有些寡难敌众的意味，同时，鼠善深挖洞广积粮，留有退路，一旦大灰猫奋起猫威时，鼠快速逃匿，钻进洞里，能全身而退，猫也只在洞口兴叹。邻居那只大花母鸡孵化了一窝小仔，灰猫不知为何自我颠覆，竟然去捕食雏鸡，这倒比猎鼠易为得多，这就大大缓解了鼠的生存压力，从而也懈怠了猫的进取心。第四招，用药。这招确实了得，一晚下来，尸横遍地，但副作用也不少，容易祸及六畜，有的地方还闹出了小儿中毒的惨剧。惨痛代价后，鼠群高度重视，及时召开紧急会议，总结经验，查找原因并整改，当再次投毒时，鼠们却已被教乖了，视鼠药如无物。接着是调整好了精神状态，投入新的战斗。

"硕鼠硕鼠、无食我黍，三岁贯汝、莫我肯劳"，你要生存，你去劳动生产呀，为何干起偷鸡摸狗的营生？回顾与老鼠斗争的历史，是以粮食的争夺、保卫来展开的，有些像抗日战争时与日寇的战斗，不同的是，老鼠没有日寇那般阴狠，没有三光政策。我们适时变换策略，对老鼠实施打击，围追堵截，坚壁清野，拉锯战、麻雀战、游击战、地道战……老鼠硬是昼伏夜出，见招拆招，像学过孙子兵法，趁火打劫、顺手牵羊、以逸待劳……像一个训练有素的战术高手。人进鼠退，人疲鼠扰，人睡鼠闹，尤谙"三十六计、走为上计"。搞得我们很是被动。尽管也招展过胜利的旗帜，但大多只是局部性、阶段性的胜利，不能彻底逼退鼠群，以鼠笑到最后居多。

与天斗其乐无穷，与地斗其乐无穷，唯与鼠斗其乐无多，多的是沮丧、懊恼。落败于老鼠，乃人之大耻，正欲开动脑筋与鼠辈来个了断时，人生际遇之故，我离开了故园，当然与老鼠的斗争也就告了一段落。

不知怎的，猥琐的老鼠在心目渐渐"高大"起来，一者眼不见心不烦，岁月的消磨减少了恨意，二者信息的获悉抵消了不少负面。三者竹溜一度为盘中珍品，因冠鼠名（竹鼠），也无形赋予了其正面性。人的起源说，一般都是认同猴子是人类的祖宗，后来出了个悖论，人是老鼠变化、进化来的，与人类的基因有不少相似之处，尽管骇人听闻，但就老鼠的智商而言，有这个想法又不无道理。老鼠有天才般的预警、预判能力，印度洋海啸老鼠能预测，老家那场寨火前两天便人间蒸发。二战时埋下太多地雷，因老鼠嗅觉灵敏，有的国家便将老鼠培训成排雷高手。

我现居家高楼，臭虫已绝迹，苍蝇飞不上这个高度，麻雀偶尔临窗歇脚，已是我的奢望。然一窝老鼠，也不征求下我的意见，就拖娘带崽大张旗鼓地入住，落户毕，老少鼠们依旧鼠性不改，白天躲在暗角里睡大觉，每到掌灯十分，便跑出来享受生活。某次公干沿海城市，夜市上友人说真正的生活才正式开始啦，我先是诧异，接着想到的是老家那些醉心于夜生活的鼠们。这窝不速之客，适应能力超强，开始东张西望、鬼鬼祟祟、有所顾忌，但很快就熟悉了环境，在客厅、厨房、书房、卧室之间跑来跑去，如入无人之境，直至达旦不息。有一朋友光临夜饮，鼠竟也来凑热闹，有恃无恐，在沙发茶几上表演起杂技来，金鸡独立、前后空翻、百米冲刺、猴子洗脸……友戏言"客走旺家门"，相视良久，莞尔一笑。有趣得很，夜半三更，如要觅食，厨房才是去处，偏跑到卧室里来叽叽歪歪！儿时的鼠斗之痛顿然泛起，迫使我做出决策，下定决心予以驱逐。还是用药这一招，但只能做不能说，一说就泄露了机密，鼠有防范之心，那就"打草惊蛇"，就不灵了。

老鼠通人性，喜亲近人气。某年回老家，夜深了，整个寨子一派沉静，大多数的农舍已是人去楼空。我独处一屋，无尽的孤独袭来，诸多往事一幕幕撩开，其中就有鼠斗的内容。奇怪得很，堂屋内除了日光灯发出"吱吱"微响外，静得不可思议。楼上敞开着，晾晒的有一大堆谷子，要是往常，鼠们不携家带口饕餮盛宴，餐毕再即兴联欢一番才怪？真纳闷，当晚鼠迹全无，老鼠们，到哪儿去了？

油 鸡

艳阳高照的星期六中午，垂钓春秋的集结哨又一次吹响。目标，台盘空寨一带网鱼垂钓，这段小河属巴拉河下游，我们的垂钓春秋，在此刻下了数不清的年轮。

网鱼、垂钓、农家乐，新时代的牧歌生活，已成了我们这个群体生命航行的一杯佳酿。我们任意让生活、生命的乐章在山水田园里奏响，但我们很少用文字语言去言说，大家都心照不宣，默默地执着纵情于山水而后虔诚心灵的守望。当然，今天也是奔此聚集而去。

始料不及的是，垂钓网鱼还未拉开帷幕，序曲却已然十分精彩，一场斗鸡让我们感慨万端。斗鸡是在一座果园进行，非正式组织，非刻意而为，一切自然而然。决斗的两只雄鸡的主人同为一老兄，但已分居多时，一只寄养在台盘的一金秋梨果园里，一只则生活于凯里。因这场意外的插曲，曾令我等执迷的网络生活今天不得不委屈而次之了。很显然，这场争斗很别开生面的意味。决斗的环境风景宜人，让人赏心悦目，位于台盘工业园区附近的果场，小巧而精致，园里的梨子大多已套上金黄色的纸袋，杨梅正在大熟，琅琅利的嘶鸣声在果园乃至更远的山峰缭绕，一条条杂草丛生的曲径伸向四周，园内的杨梅香随夏季的山风，慷慨无私地拂面而来。一个供管理员起居的小工棚建在果园入口不远处，决斗就在工棚背后一小块平地展开。决战双方也让人惊异不已，两只斗鸡虽同属于一主人，但生活阅历各异，一只生活于田野，一只生活于闹市，性情截然不同。首先形态迥然，田野的那只，身躯壮硕，个子要高出一头，行走起来，步伐稳健且颇有威仪；而久居闹市的那只则文质彬彬，颇有些绅士风度。就是二者的衣着也全然不同，田野者可谓参磋之极，几乎衣不蔽体状；而后者衣冠楚楚，边幅整齐。然而这仅表象而已。随着决斗的白热化，两只斗鸡的原本面貌就暴露无遗。田野者出招有板有眼，招数阳光透明，按斗鸡这一门道行规的话说，是标准的套路，绝对的符合规矩。市井者恰好相反，完全不按规矩出牌，斗鸡们或许有约定俗成的规定，决斗所攻击的部位必须是鸡冠，好比拳击比赛就不能攻击腹部以下，否则犯规。那生长于闹市的斗鸡，哪管你那么多规规矩矩，条条文文！开始还顾及围观者的感受，尚有些忌惮，注意点形象，可战斗日益激烈，继续循规蹈矩，必败无疑，情急之下，深潜的本原驱动各种怪招绝活，田野者的冠、下巴、耳垂、脖颈乃至翅膀全成了它的进攻部位，时而别扭到对手背后猛喙其羽翼，时而乘其不备狠叮其下颌，只要想到的招数哪怕下三烂，一股脑儿地使出，死缠烂打，什么绅士风度，什么正经做派，什么规定规矩，统统置诸脑后。那田野长大的鸡，不知是出于对规矩的过度执着，还是过度在乎君子风范，抑或是太过迂腐了，直到对手使出各种阴招把它弄得血流满面，依然在老实巴交地恪守阳光之道。胜负分晓后，闹市鸡抖擞精神，掸一掸羽翼上的尘埃，重新恢复原包装起来的绅士风采，引吭高歌，扬长而去，似去征战下一个对手和目标。只留下田野鸡在那里垂头丧气，懊恼不已。

循规蹈矩，是个中性词，时褒时贬。我倒觉得如若每个人都做到了这个词的本意，于国于家于社会必有诸般好处。我们都知道，"没有规矩不成方圆"，规矩约束人们的行为，规范社会秩序，规矩的功德自不必多说。但有时，规矩好像是只为老实人而设，田野鸡守规矩守得鲜血淋漓，落得个满心沮丧。闹市井鸡无视规矩，却踌躇满志，得意扬扬。任何一条阳光的、负荷正能量的规矩，良愿的初衷，不容置疑。但不去遵守，或只有少部分人去遵守，那就如同"稻草人""玻璃墙"，聊胜于无罢了。要做到都自觉或大部分都自觉循规蹈矩，除了要靠内因、靠自觉、靠主观能动性，也要靠外因、靠监督、靠制度约束力。

小时，也曾喜欢斗鸡，抱着一只雄赳赳的大公鸡，满寨放对厮杀。但时常遇到不讲规矩的一种鸡，心情很是不爽，这种鸡叫油鸡，争斗中即使已经输了上半场，但仍不服输，明明已血迹斑斑，却张开身上每一根羽毛向对手求战。油鸡个头不大，名副其实，油滑得很，从不跟雄鸡正式对阵，善使阴招，打打跑跑，从不按规矩出招，常常乘大公鸡不备，冷不防从背后猛喙一嘴，然后逃之夭夭，如此这般，故伎重演，可鄙之极。

歪评水浒

宋江与晁盖

　　少不读水浒、老不读三国，窃却从懵懂少年读到了天命耳顺之年。

　　《水浒传》一直是枕边书，长期漏夜捧读，慢慢成长出了几个习惯性的兴奋点。比如，七十回"宋公明排九宫八卦阵"中的描写，"那把旗招展动处，涌出一员大将""斜刺里，杀出一彪人马"，这类的精彩描写，让人很是兴奋。又如"大战多少回合，不分胜负"，也让人着迷、兴奋。这些文字的表述方式以及表述的场面，十分引人入胜。还有就是梁山好汉排座次排列，三十六天罡、七十二地煞组合的一百单八条好汉，五虎大将、八大骠骑头领、八大步军头领……仅是读着这些充满英雄气概的名字，就觉得十分的生动，仿佛一个个鲜活的生命由字里行间复活并挺立起来，英雄们的侠义行为乃至惨烈故事，也在眼前一幕幕地掀开……以至于无意中养成了一个习惯，凡翻阅水浒，首先打开第七十一回，先过一过梁山好汉们的"座次瘾"，再以某一人物为线索，按名索骥，翻开某一章回，重温故事情节。

这个座次排列呈金字塔状，站在顶端的是宋江，接下来的是卢俊义。初读水浒于小学时，那时对这个"排排坐、吃果果"有点不服气，总以为施耐庵是不是搞错了，论身材帅气、武艺高强，卢俊义远在宋江之上，连绰号也要好听得多，"宋三黑子""玉麒麟"，孰优孰劣，一目了然。排在第三的智多星吴用，出谋划策、运筹帷幄，智谋也远在宋江之上。他们后面一百多号人物，哪个不是厉害的角色？就连排在倒数第二的鼓上蚤时迁，他的飞檐走壁之功，普天之下，谁出其右？后来阅人阅物多了，塔尖那颗珠子不一定都是最亮的，但能身居高位终有它的道理。

宋江还是颇有些能耐的，否则他坐不上第一把交椅。首先他仗义疏财，为朋友肯两肋插刀，及时雨呼保义的名号在江湖上很响，施耐庵把他与孟尝君相提并论。文字功夫了得，与刘邦谋臣萧何一个档次。能说会道，说起话来，高屋建瓴，滔滔不绝，有时还声泪俱下，辅之以肢体动作，使其语言感染力非凡，用而今的话说，就是善做思想工作，纵观梁山众英雄，除吴用外，无人与之匹敌，在这方面，卢俊义就比之差得多了。在家靠父母，出门靠朋友。当一个人陷入囹途，举目无亲，非常渴望一个朋友出现，施以援手，助力摆脱困境，而这世上真正能靠得住的朋友却不多。呼保义宋江总能及时出现，被称之为及时雨，久旱逢甘霖谁不欢迎，因为宋江极会做人，善于处理人际关系，有深厚的群众基础。误入白虎堂，是林冲命运的滑铁卢，林冲曾经的结拜兄弟陆谦，不但不行朋友之道，反而直接参与策划并执行骗局，为了攀附权贵，不惜卖友求荣，置结义兄弟于死地，每读至此，每每怒火中烧。再读到宋江为朋友两肋插刀，友人遭遇困厄，总是及时地出现，心情大爽。因之，我曾经做过宋江多年的忠实粉丝。

宋江的前任是晁盖，号托塔天王。之所以被推举为老大，因为晁盖具备领导的综合素质。形象上气宇轩昂、仪表堂堂，有官样，与形容略显猥琐的宋江相比，自然要威武得多，武功上力大无穷，武艺一流，几百斤重的石塔，轻而易举地从村东提过村西，可媲美鲁智深倒拔堤上垂柳，宋江更是难望其项背。晁天王耿介磊落、讲原则，杨雄、石秀、时迁投奔梁山，听到杨雄、石秀众好汉路见不平、拔刀相助的豪杰行为，乐不可支，当听到时迁偷吃李家庄的报晓鸡时，勃然大怒，喝令斩讫报来，足见，其眼里揉不得沙子，鄙夷偷鸡摸狗的宵小行径。晁天王唱黑脸未毕，"吏道纯熟"的宋江的白脸戏即时跟进，不失时机地做了一回好人，多年的衙门功夫发挥得淋漓尽致。为人上也是有口皆碑，仗义疏财与宋江、柴进不相上下。但能被尊为老大，凭借的根本还是在于他的人格魅力——讲义气。要论讲义气，宋江与晁盖堪称表率，时时处处真真实实地身体力行，而绝非作秀。梁山聚义的旗帜是杏黄旗上四个字"替天行道"，行道是目标，义气是灵魂，行侠仗义是手段。洪太尉顺天应人，打开"伏魔之殿"，三十六天罡、七十二地煞横空出世，替上苍行天道，而讲义气、行侠义是行道的路径。但晁盖与宋江在讲义上，既已殊途，也未能同归，讲义的总纲似乎一致，细细把玩却又不同，路线上更是截然相反。晁盖讲义气，是将好汉们聚义于一厅，与兄弟们大碗喝酒大块吃肉，论称分金银，凝聚团队的力量去铲除奸佞、清理恶浊，还朗朗乾坤于民众，打的是官府之家，劫的是恶霸之舍，劫富济贫，扶危济困，对良民百姓则秋毫不犯，与当局是根本对立的，与兄弟们是真诚地患难与共。一句话，晁盖心中的义，是天道是公心、正义，也可以说是国泰民安的社会秩序。而宋江不一样，他的忠义是一种愚忠行为，幻想通过肝脑涂地地效忠当朝政权，获取当局恩赐一官半职、封妻荫子、青史留名。所以他依托吴用的煽动，篡改了晁天王的遗言。晁盖身中曾头市史文恭毒箭而魂归天界后，留下拿史文恭首级者继其位的遗命。宋江并未执行晁天王的遗嘱，而是亲自执掌梁山之牛耳。由之，宋江的义挟带有功利与野心，忠就暗藏猫腻了。将美女一丈青扈三娘如私品赏给丑陋又好色的矮脚虎，如鲠在喉。一丈青为林冲所擒，论武艺、颜值而言，匹配林冲应当是绝大多数人的心理许可，这个情节坐实了宋江的虚伪，将自己做好人建立别人的痛苦之上，这个义就打折了。

新官上任三把火，宋江登上宝座后的第一把火就是推翻晁天王的政治路线，将"聚义厅"改为"忠义堂"。虽一字之差，却天壤之别，政治路线被颠覆。忠义思想是我们的国学精要，忠为儒学核心价值之首，是社会正能量之必须，但要看忠于什么对象，忠得该不该、值不值，以及怎么样去尽忠。宋江，挟私绑架弟兄们的义气去忠于皇帝，拥趸一个为奸臣所把持的乌烟瘴气的朝廷，完全忠错了对象。由"聚"而"忠"这么一改，就全变味了，把反对腐败朝廷的初心改为誓言效命奸邪，梁山好汉们的悲剧命运就注定了。

纵观浩瀚寰宇之下，践行忠诚，唯狗最为彻底，狗对主人的忠诚是绝对性的，可以说没有一丝一毫功利与虚假，忠诚到了死心塌地甚至愚蠢的地步。但翻开典册，却并没有多少溢美之词，"狗不嫌家贫，儿不嫌母丑""狗是人类最忠实的朋友"，偶有几句，也是寥寥，相反贬损之词俯拾即是，说话难听了将狗扯上"狗嘴吐不出象牙"、交友低劣譬喻上狗"狐朋狗友"、骂人丧失良知"狼心狗肺"、斥人品行不端"鸡鸣狗盗"、诅人狼狈为奸"蝇营狗苟",对一个人恨得牙痒痒,忘不了专门遴选狗来助阵,由现实而上溯到对手十八代……不胜枚举!问题恰好在于狗的忠诚的彻底性与绝对性,涵盖得有无选择性、排他性,即不辨善与恶、不察忠与奸、不分良与莠,忠于善良、正义,当然会引出许多生动故事,而誓死效忠邪恶,就成了走狗、狗腿子,狗仗人势、助纣为虐,当然不受欢迎。越忠诚得彻底,赋予奸佞的能量就越大,良善清朗的空间就会被收窄,或许这就是狗被打入阴暗面的罩门所在。宋江颠覆晁盖的政治路线,将"聚义厅"篡改为"忠义堂",就可以从中找到联想了。

宋江与李俊

李俊在天罡星中排位二十六,绰号混江龙,为天寿星,从宿命论角度看,这个好汉的星座及名号暗藏有一定玄机。

梁山好汉一百单八人,在宋江忠义思想的鼓动下,效命于腐蚀不堪的朝廷,征王庆、平田虎、抗辽寇,南征北战,战功赫赫,后在与方腊的惨烈决战中,死伤惨重,十之八九战死疆场,班师回朝时仅剩下了二十七人。伤痛如此,权奸们仍意犹未尽,打压、羞辱、下毒,穷尽阴招对功臣继续进行围猎,以除之而后快。宋江的忠义以及忠义后能够封妻荫子、名垂青史的梦想,竟是这样的结局。或许施耐庵心怀恻隐,留下了一个伏笔,这个伏笔的主角即混江龙李俊。

龙乃几千年华夏文化的凝结,龙象征着权威、高贵、尊严与吉祥,是一面招展于华夏历史长河的精神旗帜。我们以龙的传人自喻,以龙马精神立世,以龙盘虎踞立威,以腾龙驾雾之势昭示愿景与梦想。皇室为了巩固皇权，假借龙的威力，自封皇帝为"真龙天子"，自诩居所为龙庭。

宋江不是龙，他没有龙的威严，也没有龙的运势，纵观整部小说，从他身上找不出丝毫龙的气质。他的绰号呼保义，对号其仗义疏财、乐于助人的长板，倒也名副其实。他的本领除练达世事、仗义疏财、刀笔厉害外，还有两个特长，泪腺浅，膝盖软。征方腊，眼见兄弟们一个个的死于非命，他都痛不欲生，号啕大哭，与他的语言一样极具感染力。梁山座次排定后，"替天行道"四杏黄旗在梁山之巅迎风招展，当朝权奸惊慌失措，征集军队试图剿灭。好汉们出生入死、冲锋陷阵下，给予官军以迎头痛击，两败童贯、三赢高俅，将两个当朝巨蠹被生擒到梁山，被逼得有家难奔、有国难逃的好汉们，恨不得食其肉、寝其皮，宋三黑子的膝盖却软了起来，向奸贼打躬作揖，卑躬屈膝，俨然一副奴才样。有人说，宋江是用一哭二跪三招安来践行其忠义思想的，哭过四十多次，跪过四十次，而且毫无仪式感可言。跪皇帝跪官吏跪富豪，最让人齿寒的跪高俅，高俅者乃一促狭嫉恨流氓泼皮本色也，是朝臣中一门心思致梁山好汉于死地的权奸，与梁山有不共戴天之仇，宋江却向他跪得十分投入。尊为一百单八条好汉之首，却矮化自己，向奸佞奴颜婢膝屈，美其名为了兄弟们的前程。他今后的前程是，七十多个梁山亡灵给他换来了个楚州安抚使，真是亏到骨头里去了。大宋王朝被佞臣们弄得恶臭不堪，内忧外患，政权大厦危如累卵，要不是宋江拿梁山英雄们的鲜血当及时雨予以浇灌，早就应该覆亡了。如早些亡了，也不至于到了徽宗赵佶当俘虏、三千宠爱被敌国将士随时临幸的地步。宋江，与宋朝国号同姓，然顾名思义，不过宋朝的一条溪河而已，成不了大气候。

　　宋江是可悲的，临死了选择蓼儿洼为风水宝地，读到此，有滑稽感，蓼乃一种叶子互生的草，洼即低湿之凹地，怎么都理会不出风水气象，人们常说要冲出洼地，构建高地，登高望远才能放大心胸格局，你看宋江选择一个洼地来安放灵魂，悲剧的色彩就更浓了。

　　李俊才是龙，一条翻江倒海的龙。水浒三十六天罡中，以龙名号的有四人，即混江龙李俊和第一个出场、排位二十三的九纹龙史进以及排名第四的天闲星入云龙公孙胜，还有一个独角龙，但史进的星座为天微星，身上纹龙九条，反而被困住，战死了。入云龙本是得道高人，淮西平定后与宋江分道扬镳，他已看到了弟兄们的悲惨结局，又无力扭转，眼不见心不烦，选择了三十六计中——走为上计，闲云野鹤，归隐林泉，后得善终。"太平本是将军定，不让将军坐太平。"李俊太湖遇高人，迷津受到指点，班师途中悄然离去。此处不留爷，自有留爷处。带着出洞蛟童威、翻江蜃童猛两兄弟，漂洋过海，到孤悬于汪洋大海的暹罗国做起了皇帝，两个助手童威、童猛亦各有好的去处，并得寿终正寝。读到此，那一阵阵憋屈才有了一丝缓解。

林冲与武松

　　可以说，一百单八条好汉走上梁山的故事，都是围绕"官逼民反，民不得不反"这一主基调来展开的。第七十一回梁山水泊英雄排座次之前，"逼上梁山"像一根红线贯穿始终，之后部分，才是描写宋江用兄弟们的鲜血与生命去实践他的忠义理念及其悲惨结局。逼上梁山，又以林冲与武松两个角色的经历最典型、最具代表性，但武林两人被逼落草梁山却又大不一样。

好汉们上梁山所走的道路各有不同，有的曲折迭起，有的了无牵挂，有的一波三折，有的走得义无反顾、痛快豪爽，也有的略显勉强。纵观起来，林冲是最不想上梁山的，可小说却把他作为走上梁山道路的第一人来写。八十万禁军教头，属中级军官，名头响亮、前途看好、收入丰厚，是一份不错的工作，还有一个美满幸福的家庭，妻子花容月貌、温婉贤淑，于情于理都没有上梁山去的必然。身为禁军教头，端的是保家卫国的饭碗，可能他做梦都想不到要上梁山去落草为寇，最终会与朝廷官府彻底决裂。可高衙内出现后，林冲及他的家人、家庭命运改写了。高衙内何许人也，三军统率高俅的义子，官二代，班头级流氓。按今天的话说，林冲的娘子是军属，辱没军属那是要苛以重责的。可在光天化日之下，被调戏，这还了得？夺妻之恨，即便引车卖浆者流都是难以容忍的，偏偏豪杰林冲却咽下了这口恶气，权且饶了高衙内那厮。可他万万没有想到，忍换不来风平浪静，一张罪恶的大网已悄然向他撒来了。高俅父子狼狈为奸，动用公权向林冲及其家庭展开无耻而又阴毒的合围，原因很简单，林冲你媳妇太靓了。收买林冲的结拜兄弟陆谦，将媳妇骗到酒楼调戏，林教头再一次忍了，这一超乎极限的忍辱照样换不来海阔天空，而是生路越走越窄，黑恶势力一步步地将他往绝路驱赶。计陷白虎堂，刺配沧州府，历险野猪林，草料场脱险，夜雪风神庙，媳妇守节投井，丈人张教头死难。一个好端端的幸福家庭，就这样被奸佞、领袖级泼皮无赖搞得家破人亡。名震江湖，有万夫不当之勇的一世豪杰，肩负保家卫国使命的中级军官，连自己的妻子、家庭都未能保住，在茫茫雪野、英雄末路中，踉踉跄跄地来到梁山。那一个命运呵，实在是够惨的了。林冲的梁山之路，是对烂透了的当朝政权、腐朽的社会体系的无情揭露与有力痛诉。

武松走上梁山之路，尽管也为官府所逼，他在走上梁山的路途中，一路走，一路手刃仇人、恶人，读起来十分解气。十八碗酒后，景阳冈打虎，威震江湖，被县令委任为都头，跻身体制内，受到县令重用。按常理，凭武松那轩昂的气质，那一身超一流的武艺，出人头地乃指日可待的事。西门庆出现后，潘金莲出轨，武大郎被奸夫淫妇毒死，武松的人生道路因之颠覆性反转。公门都头，相当于现在的公安局刑侦大队长，司职侦破案件，依法打击违法乱纪。武大郎冤魂渺渺后，武松深明大义，一直希望通过司法道路，以昭彰正义，惩治顽凶，可通吃黑白两道的西门大官人，手眼通天，神通广大，武二郎走的司法路到县衙一级就不通了。勇武而不失机敏的武二郎即时"却理会得"，他理会得了什么呢，他明白了有钱的西门庆已与当局结成了利益共同体，体制上的话语权，司法的操盘平台已被金钱所收购，走司法程序已不靠谱，以暴制暴、以牙还牙、血债血偿成为武松复仇路径的唯一选项。于是被迫亲自出马，无可奈何地知法犯法，手刃仇敌，这些都是官府逼出来的，他也因之获罪，刺配孟州。此时的武松已胸无大志，满以为能服刑期满后，安然了此余生。可恶人当道的社会并未让这个侠肝义胆的豪杰英雄就此平静下来，官家体系已不靠谱，浑浊的世道需要侠士、英雄。地伏星金眼彪施恩在他跟前出现了。获人之施，与之分忧，受人之恩，为之解难，武松路见不平，助力施恩夺回被蒋门神霸占了的快活林，又与黑恶势力结上了仇怨，生死攸关之际，英雄焕发出干云的豪气，大闹飞云浦、血溅鸳鸯楼后，为躲避官府，变身头陀行者，落草二龙山，不久与花和尚鲁智深、青面兽杨志投奔梁山，与众英豪一同替天行道去了。

天雄星豹子头林冲与天伤星行者武松，都是家喻户晓的英雄人物，也是我打小就由衷喜欢的豪杰形象。二者同属军警系列，有一官半职，武艺一流，奉公守法。本应是政权稳固、社会安定的中坚力量，又武艺高强、侠义凛然，是不可多得的栋梁之材，朝廷当局却不惜才，反而费尽心机推向了对立面，因此，逼上梁山的主基调在他们身上最具有说服力。这是他们的共同点，二者又截然不同。大英雄林冲有几大性格特征，或者说是性格缺陷：第一忍让，逆来顺受，忍辱负重，夺妻之恨都能忍让，实为罕见。第二自责，老婆被人调戏了，自己反被恶人倒打一钉耙，被整得家已破人亦亡了，还自责"恶了高太尉则过"，期盼通过大幅度牺牲人格和尊严的让步挽回局面的好转，这纯属与虎谋皮。即将刺配沧州时，不但不给娘子正能量，而是一纸休书，将剧痛与风险交付一介女流，以为如此低下乞怜，能唤醒高俅父子这对活宝的一点点良知，放过了他们，显得多么的天真。第三懦弱，特怕上司，书中写道"当林冲扳将来，扳着他的肩胛，却认得是本官衙内，先自手软了"。怒极之下，堂堂八十万禁军教头"先自软了"，把林冲怯懦上峰的内心世界刻画得淋漓尽致。陆谦设计骗其娘子至酒楼供高衙内调戏，林冲得知后，"拿了一把解腕尖刀"，但不是直奔酒楼救急，而是去找陆谦理论，找不着陆谦之后才奔向酒楼，又身未近却声先至，高衙内闻声跳窗，逃之夭夭，无异于提前通知。林冲外号豹子头，豹子身手健捷，勇猛非常，但东张西望、小心翼翼是豹子的个性，豹子胆并不太大。第四，人心善恶的逆差，林冲手刃自己上司王伦，手段果断狠辣，投名状固然恶心，但罪不至死，何况还有收留之恩？无论如何，那一刀怎么都应该果敢地刺向高俅、衙内，这才是豪杰

151

应有之举。上述性格缺陷不是林冲的主流，但正是这些缺陷注定了他坎坷多舛的命运和悲惨的结局，也由此激起读者对英雄遭遇奇冤的深深同情，对那黑暗社会的强烈控诉。有人说："任何一个具备丰富文化素养的民族，并不等于说永远不愤怒，不反抗，不杀人的；这是根本的两码事。"水浒传中，林冲最具忍耐素养，最忍得，甚至忍得有些不可理喻，但一个人在一味忍让中被逼上绝境和长期隐忍压抑，也会"不在忍耐中爆发，便在忍耐中灭亡"。正所谓英雄气短是也。林冲也有忍不下的时候，他一生有三次决定人生命运的大暴发，第一次是风神庙前手刃仇人，二是梁山火拼王伦，三是征方腊得胜班师回朝途中，想到又要被宋三黑子送回高俅手下当差，与其再度受辱，不如干脆病死了之。书上讲林冲死于疾病，我认为这绝对与生气关系甚大。施耐庵如此设计林冲最终的命运结局，实在高明，如是战死，不太符合逻辑，林冲乃顶尖武林高手，怎么会轻易战死？普天之下，谁有挑落林冲于马下的本领？干脆让其气死或病死算了！林冲之气，让人心碎，生擒奸贼高俅到梁山，仇人相见分外眼红，正欲手刃仇人，却被宋江阻止，看过电视剧中这一情节，导演配置的音乐中那份悲切让人心如刀割。宋江阻止的理由是"莫要误了兄弟们的大好前程"，天下最大的笑话其实来之于宋江。

武松与林冲性格迥然，胆大心细，自信刚烈，敢爱敢恨，尤其敢于正面斗争，从不屈服于强权。血性是二者的本质区别，林冲血性不足，武松则井喷。水浒是悲剧，纵林冲与武松有万夫不当之勇，豪侠了得，却斗不过泼皮无赖，斗不过黑恶势力，摆脱不了悲剧的最终结局，但由于二者性格不同，即便同样以悲剧终场，闭幕的形式也不一样。林冲一世英名，却在悲愤中死去，悲惨凄切。武松风火闯九州，看透官场，对世道绝望，以残疾之躯，坐化于杭州六和寺，梵音相伴，殁于耄耋之年，孑然悲怆，却也算得是善终。

武松、林冲，武林高手，但敌不过另外的高人——极其能做坏事又能踢球的高俅，真是让人不爽！

鲁达与李逵

鲁智深、李逵都属刚直型人物，可以说是勇猛刚烈、粗鲁暴躁的化身。性格相类似的人物还有不少，打虎武松、霹雳火秦明、董一撞董平、急先锋索超、活阎罗阮小七，等等。这类人物，历史上还有许多，汉时樊哙，三国张飞，唐朝程咬金，宋朝牛皋……这些人物暴烈耿介，有时还憨态可掬，张飞智服严颜，程咬金的三板爷，牛皋因笑而亡，鲁智深"黄鳝吃，团鱼俺也吃"，李逵坐衙断案等，让人忍俊不禁，正是由于其鲜明的人格个性而为读者喜欢，而家喻户晓。

鲁智深、李逵的性格，有共性，亦有个性，共性在于粗、耿直、悍勇，眼里揉不得沙子，个性在于细、悟。鲁智深三拳毙了郑关西的善后、相国寺识破波皮们的小动作、野猪林救林冲、生擒方腊，无不展示粗中有细其智慧的一面，反观铁牛一味生猛，除了砍杀韩伯龙算是用了点心计，行事从不计后果，一条路走到黑。粗是二人的共同特质，但这个粗不仅是粗糙愚鲁这么简单，而是涵盖着疾恶如仇、不拘小节、敢爱敢恨、不畏强权等因子，即侠气。侠气以暴烈的形式表现出来，就让读者倍感过瘾。水泊梁山上的好汉，正是因为有这两个典型人物而平添几多生动，故事画面的演进更富于立体感，"路见不平一声吼，风风火火闯九州"更具说服力。

　　二人的革命性最彻底，可以说是从骨子里与当局决绝。李逵是穷苦人家出身，上梁山是自然而然的事，而鲁智深身为体制内，官至提辖，只因打抱不平三拳打死镇关西而四处逃生，最后走上梁山。目标一致，过程不同，命运也就不一样，二人生命的终结暗藏玄机。鲁智深不是一合格的和尚，却一生禅遇，一身禅味，因而大化。六和寺坐化，叫人通知宋江来看他时，他已跷二郎腿在禅椅圆寂了。鲁智深因得高人指引而擒获方腊，这是第一功劳，宋江亦劝他还俗封妻荫子，鲁却"听潮而圆，听信而寂"，禅悟中终结人生的旅途，生命的谢幕充满着仪式感。李逵悍勇，如一阵阵黑旋风征战疆场，战功赫赫，全身而退并进入体制内，这是为数不多的，但结局太憋屈，没有殁于战场，没有死于奸党黑手，而是死在自己忠心耿耿的老大手里。梁山好汉大都死得惨烈，但像李逵这个死法，读者窝火，因为宋江给出的理由是担心李逵破坏他忠于朝廷的英名，宋江忠于朝廷而死于朝廷，李逵忠于宋江而死于宋江，如此循环，可不是替天行道的初心与结果。革命性最强的李逵却被赐予如此死法，其中的道理，他是永远都想不通的了。

吴用与朱武

　　吴用、朱武为水浒正副军师，排位相差较大，吴用位列天罡第三，朱武排地煞之首，宁为鸡头、勿做凤尾，如此，也算各得其所。水浒上半场，基本上是吴用表演，朱武在下半场才显山露水。

　　吴用号智多星、加亮先生，其文韬武略，足智多谋不容置疑，诸葛孔明乃智慧的化身，形象近乎完美，吴用则在智慧的外衣下有重大人格缺陷。在忠字上打折，先忠晁盖，后架空晁盖忠宋江，支持宋江的招安决策，却又一度怂恿宋江降辽。出计狠辣，人性缺失，秦明、卢俊义因他用计而家破人亡。量小非君子、无毒不丈夫，可为了断朱仝后路，唆使李逵将无辜的天真烂漫的小衙内劈成两半，就不可理喻了，能说这是君子之量、大丈夫之毒？有济世之才却无经国之志，才智离不开依附对象，没有了依附便百无一用，宋江死后也自缢身亡，埋骨蓼儿洼。只有依附在晁、宋身上，才会尽情发出智慧的光芒，这种现象似军师、师爷们的宿命。

朱武，号神机军师，名与号皆有暗示。古人有星宿崇拜，朱雀指南七宿之神，玄武即北七宿之神，朱雀玄武与青龙白虎构成了风水龙脉气象。另朱雀玄武作为成语指的是阵容整齐之意。由之，神机军师名副其实。后半场，朱武在行兵布阵上明显高于吴用。实际上，在少华山时设计制服史进、解救跳涧虎陈达，胆识、担当、格局就已初露端倪了。

心机、神机是吴用与朱武的本质区别，吴用智识过人，但超脱不了心机的藩篱，而朱武神机妙算，少华山的苦肉计，是双赢之计。梁山座次排位有猫腻，孙立、时迁的位次有失公允，孙立与李廷玉为师兄弟，李廷玉的徒弟祝龙能与林冲战三十回合才显怯意，孙立的武艺应当是五虎将级别，同时还官至提辖（与鲁智深、杨志同级），为攻陷祝家庄可谓身居头功，可座次在解诊、解宝甚至秦明徒弟黄信之后，有人解读孙立破坏同门之谊，违背了江湖之义。梁山有两个堵心的灭门惨剧，即董平导演的抢夺自己领导程太守女儿为妻的灭门案，李逵执导的扈三娘长兄已归顺梁山后的灭门案，惨剧的主演并未被约谈、问责，还座次靠前。时迁也委屈，他的功劳比有的天罡成员强上许多，竟排倒数第二，这与宋江的用人导向

155

有关，吴用身为军师难辞其咎。为成功招安，宋江吴用对梁山死对头高俅曲意奉迎、卑躬屈膝，最终还是两人献计（朱武献计走宿太尉的路数、燕青建议找李师师），双管齐下才成功。朱武高明还在洞悉了未来，参透了运势，纳还官号，追随公孙胜去循另外的天道，后得善终。人生结局那个句号，画得远比吴用圆满。

饮酒夜话

一

酉在地支中排第十位，为万物成熟之意，从时辰上讲为太阳落山之时。从字面上看，酉属象形文字，似坛形，为汉字的偏旁，多与发酵而成的食物有关。

在酉之上加"将"谐音为酱油，在其后加昔为"醋"，开门七件事中皆赫然在列。唯在其左加水的"酒"却未能入围，很是奇怪。酒是功劳赫赫，十分任性于日常，每个家庭都不可或缺。"怪酒不怪菜""无酒不成席"，宴请客人，席间可以无肉，但绝不可无酒。酒肉朋友、酒囊饭袋、美酒佳肴，酒必靠前。一席筵宴，各色美味琳琅满目，各式珍馐闪亮登场后，如无酒水，绝对黯然无色。苏东坡"宁可食无肉，不可居无竹"，但未言饮无酒。

酒的发明者有两说，一是夏朝的仪狄，一是周朝的杜康，杜康的认可度要高出许多，并一度为酒的代名词，如"何以解忧，唯有杜康"。不论如何，酒的发明实在太好，有的甚至拔高为华夏"第五大发明"。设想一下，我们的生活中如没有了酒，那又将如何？

酒，有时极具象征意义。如红白喜事的酒、贺屋的上梁和乔迁、生日志喜和为老人贺寿、添丁的三朝和满月、婚嫁的八字酒、修舅公酒、篮子酒等，十多个程序的礼仪习俗为"红喜酒"。与冥事有关的出殡下圹、挂社、立碑、挂青等为白喜酒，这样的场合，酒为祭品亦为饮品，参与者可饮亦可不饮，全凭喜好。酒还有引领功用，中医提倡用中药材泡酒，饮之健体强身、祛疾，服用中药饮以少许米酒可助药效。酒量的大小与人的身高体重大小没有必然关系，因为酒有别肠。

二

粮食短缺的年代，都要从牙缝里刨出一两锅烤酒的粮食，烤制一两瓮美酒以备待客、祭祀之需。实在没有稻菽，则取小米、苞谷、红薯、高粱、小麦等替代，家乡曾现身高粱，但未见过老人们以之酿酒，小米、红薯则常见，小米酒因产其产量少而短缺，红苕较多，红苕酒发酵时因become稠状，烤时易煳而酒有煳味，饮后易打头。青杠酒是一种让人感慨，易引人回忆苦痛的酒。那个年月，粮食奇缺制约了酒的产量，好客爱酒的老人就用青杠子酿酒，青杠子在家乡又叫麻栗子，结于麻栗树上，成熟于秋季，这种果子酿出的酒，有酒味，制作工艺较粮食酿酒稍微复杂，会酿烤技艺者不多，但饮后略微苦涩，过量饮之会头疼胸闷。这种酒已成了一种历史的回忆。

说到青杠酒，那熟悉的身影从我的记忆深处缓缓走来。二十世纪九十年代中期，我的人生遇到了天赐机缘，有幸给他当秘书、搞服务。这一机缘让我毕生受益。他处事练达，爱护部属，有宽阔的胸襟和刚直不阿的操守等，这些都深深地濡染着我，几年的鞍前马后，学到了工作上的技艺，亦受益做人处世道理。朝夕相伴的几年，酒当然是我们的共同挚友。他不抽烟却嗜酒，而且酒量大得惊人。那时他越过天命已有多年，而我刚而立出头，追随着他南征北战，鲜遇败绩。他爱酒、能酒，却从未因酒废事、因酒伤人，稳健异常。在他身上流传着许多酒的趣事、轶事。如青杠酒的故事，他经常提到青杠酒，此时他的语气会带有一些伤感，或许是苦涩的酒味与苦涩的青春岁月留给了他太多的感慨。他豪气干云，豪饮时往往有鲸吞日月的气势，他的一首酒诗最能彰显其豪沛之气："朝朝有，夕夕有，但愿清江变成酒，闲来躺在沙滩上，一个浪头喝一口。"

还有两位长者也绚丽的坐标矗立在我的人生旅途上，那就是老岳父、四叔。两位老人均已作古，他们的风骨、人格魅力依然在昭告儿孙后人。俩老人年龄相仿，为人慷慨仗义，睦里和邻，亲诚惠容，博闻强识。还有一个共同点嗜酒、豪饮，是酒席上的座上宾，酒桌上只要他俩话匣子打开，天南地北、侃侃而谈，时不时语惊四座。老岳父已有悼文追思。生于民国二十七年（1938）的四叔，年近八旬了依然高强度劳作，养殖六畜，料理田园。负担百余斤于崎岖山道上健步疾走，在乡里有"铁人"之誉。同样酒量大得惊人，相差近三十岁的吾辈若与他拼酒量，纯属不自量力。每次返乡，在火边围着火塘与他夜饮、畅谈，是不可多得的享受，忽闪跳动的火苗，会把人间烟火暖进彼此的世界。酒伴他一生，直至生命的尽头。天有不测风云，2015 年暮秋，一个阴霾天气的日子，他为鸟饶村一亡灵踩测墓地，嗣后就地午饭并饮酒，突发疾病而仙逝，事出突然，屋漏又遭连夜雨，船迟偏遇打头风，主家雪上加霜，惊慌失措。堂弟福明（四叔二子）一行，前往处理后事，简约、知心、彼此抚慰，并不丝毫为难主家，事毕四叔的名字是以树大拇指的形式立于当地口碑之中。爱酒的他曾留有遗言，倘若因酒在别家有三长两短，切勿找别人皮扮（方言即麻烦）。四叔做好人一生，却魂断他乡，似上苍不公，但他的遗言却又以这么一种情形书写在山乡大地上，使得他的人格彰显得更加高大。某年公务羊城，与友人酒叙，友谆谆告诫，来日喝酒务必看清场合，敬酒、劝酒、陪酒务必慎重，评估风险。我愕然，风险评估属危机管理范畴，多适用于安全、维稳领域，而饮酒是人情世故的交往、应酬、生活常态，人情社会的必然桥梁与纽带，缘何与风险评估挂上了钩？他的理由缘于亲历案例，某次饭局应酬，只因旁边酒桌有熟人，礼貌使然，便敬了一杯酒，后该桌有一食客深夜三魂渺渺了，家属死缠滥打索赔，他因敬一杯酒付出两万元的代价。这是个真实的人生教材，而且不是个案，如此观照，愈发觉得四叔像巍峨的群山一样伟岸。

三

李白、曹操、苏轼，都是酒中大家。

以名命酒的在历史上好像并不多，"太白酒"是为数不多者之一。还有种叫"文君酒"，讲述着汉朝卓文君与司马相如的故事。"李白斗酒诗百篇，长安路上酒家眠。天子呼来不上船，自言臣是酒中仙。"这个诗仙饮酒赋诗的事例实在太多，他的斗酒诗百篇家喻户晓，他的《将进酒》如雷贯耳，他的《月下小酌》脍炙人口。飞觞醉月是形容饮酒的一个成语，这恐怕是饮酒的极致境界了，饮酒与饮茶不同，饮茶求静，饮酒则无论如何都静不下来。正如世人调侃的"以喝闹酒为荣，以喝闷酒为耻"。前三杯轻言细语，中三杯豪言壮语，后三杯粗言糙语，再三杯胡言乱语，酒场上的喧哗恣肆大多场合不可比拟，除非战场、群殴、舞台、群体上访、强拆……

飞觞醉月又与一般的酒场不同，明明如月中，诸多净友，或把酒临风、或推杯换盏、或觥筹交错，借助酒精催化，人的脉血、思维膨胀起来，人生中的无奈与感伤以不同的形态尽情地宣泄。曹孟德"对酒当歌，人生几何。譬如朝露，去日无多"。苏东坡居士"明月几时有，把酒问青天""人生如梦，一樽还酹江月"李太白毕生追求经国济世，但"欲渡黄河冰塞川，将上太行雪满山"。苏子与客于月色既望中泛舟于赤壁，因无辜受奸佞所害而把酒问青天，叹人生之短促而释怀苦痛。一代枭雄曹阿瞒东征西讨，挟天子以令诸侯，已位极人臣，何故又有此人生如瞬息即逝的朝露的咏叹？或许是酒激起了他未来人生理想的遐想，"周公吐哺，天下归心"。那时他已年过天命，依然怀揣千里之志，像壮士的暮年，依然豪情满怀，然终究逃不脱生命轮回的铁律。其咏叹伤感、悲切，却是飞觞醉月的最强音。

饮酒大家还有"竹林七贤"、陶渊明、欧阳修等，陶渊明"久在樊笼里，复得返自然"后嗜酒如命，每酒必醉，醉中赋诗二十首即《饮酒》，其中"采菊东篱下，悠然见南山"流传最广，因其深潜的哲理而被广泛运用于为人、为文、处事……饮少辄醉，而年又最高的欧阳老人"醉翁之意不在酒，在乎山水之间也"。把酒情酒意浇灌到大自然的山山水水之间以及之外。饮酒最任性的恐怕还要算"竹林七贤"中的阮籍、嵇康了，阮籍在守护母亲灵柩前与嵇康抚琴而歌、豪饮无羁，曾引发后人的诸多争议。"饮酒不留零"的刘伶也十分了得。武松、鲁智深、济公的喝酒更贴近民间大众生活，武二郎豪饮十八碗饮出了井阳冈打虎英雄、血溅飞云浦、三十六天罡之一，八十二岁善终。"黄鳝吃、团鱼也吃"的鲁智深从拳打镇关西到武台山救国寺、到钱塘江闻讯圆寂终成果；济癫和尚酒肉穿肠过，佛祖心中坐，救世济民。这些都吻合国民的主流价值取向，因而倍受传颂。

四

有人说酒为涤烦子、忘忧君。酒有时确实是解愁的良药，至少对多数来说能够有些效用。人有小愁小苦时找一位知心好友私语畅怀就能阴霾立散、愁云顿消。一旦遇上大愁大苦之后，还得酒登场。"一醉解千愁"过于夸张，一个人愁苦缠身，借酒可以麻痹人的神经。人醉到一定程度，中枢麻木，大脑一片空白，什么忧愁、烦恼、恩怨……统统抛却脑后，人在沉醉中有了无意识的满足，百结愁肠得到暂时消解，这种消解只能是一种暂时的、肤浅的消解。因为"抽刀断水水更流，举杯消愁愁更愁"。真正消除心中苦痛的阴霾，还得靠心态的调节与提振。

乡谚有云："少七三杯人七酒，多七三杯酒七人。"（注："七"方言，吃、喝之意）酒饮过量易伤身误事之意。三国猛将张飞是因酒误事而命丧黄泉。关云长败走麦城被东吴诱杀，结义兄弟张飞朝夕以泪洗面、以酒解忧，酒非但不解其忧，却将其对兄长之义膨胀为暴烈之戾，酒后鞭笞身边士卒，狗急且知跳墙，尚乎人也，最后跳进了自掘的坟墓。其后果是诸葛亮精心设计的外交国策（联吴抗魏）破灭——蜀吴决裂，再到"火烧连营"白帝托孤"，巨耗国力使北伐受挫，后虽经一代名相孔明鞠躬尽瘁，渐渐重整旗鼓、挽回颓势，却错过了北伐中原、匡扶汉室的最佳时机。

五

我爱酒，酒却不爱我。

杯中日月长。长期的饮酒岁月中，找寻了诸般乐趣，也贻害不少。母亲曾教导"人要正做，酒可歪饮"。前者一直都身体力行，对后者却时常置若罔闻。征战沙场，每每伤痕累累，铩羽而归，待好了伤疤又忘却了痛楚，一旦好友的哨子吹响，又慷慨赴义再又遍体鳞伤而返，儿女也有无数次地劝诫，诺诺应允并信誓旦旦，然总是经不住友情的召唤，席间那醇香的诱惑，更不忍扫了席间的兴致。恶性循环，不免躯体劳顿。

君子坦荡荡，小人长戚戚。伤身倒也罢，偶尔因性直而伤了友情，不过生活圈内坦荡者众，再度碰面时聊表歉意或自罚谢罪后大都和好无事，不再挂齿。唯不小心得罪了小人，那就贻害无穷了，这在酒中日月里有过实证，也因之受到过暗算，后来知情，遂远远避趋之。在我的人生里，得罪小人乃最大的饮酒误事。

交朋结友需要缘分，需要纽带。而酒是交流感情的最佳桥接，也是表情贲志的最好介质。无酒不成席，无酒不成礼义。相聚相会不可能都以什么理想信念助兴。神侃天南地北、奇闻巷议，唯酒最助谈资。我们的族群中有一说法："饭养身，歌养心，酒养神。"酒不但养神，还养情，孔子说："有朋自远方来，不亦乐乎。"怎么悦？拿酒来！"会走路就会跳舞，会说话就会唱歌，会喝水就能喝酒。"因为我的族群实在太好客，能歌善舞、能喝善敬、善敬会劝，客人莅临，备上一桌筵席，主不吃客不领，主人与客人真诚互动酒局，辅之以特色礼仪、优美民歌，那才是难得的生动的悦乎！

六

爱饮不如善饮，善饮又不如豪饮。爱饮基本上可与烂饮画等号，一日三餐不离，伤身、废事、蹉跎岁月。善饮讲究得体，讲求诸般咸宜，适可而止，见好就收，多少有违酒的本来。大块吃肉、大碗喝酒是豪饮，豪饮最能彰显人的个性。然如何喝法，全凭各自喜好。品饮是一种文雅的喝法，品茶是饮茶的最高境界，而品酒则不见得。酒乃助推情绪高涨的兴奋剂，"花看半开，酒饮微醺"、中规中矩、慢条斯理地品，全然不是酒的个性，酒的元素决定了完全不同于饮茶的境界追求。

流传着"酒话"足可佐证，如"感情深一口闷，感情浅一点点"。酒杯、酒碗、酒海、酒盅、酒提、酒钢炮等酒的杯具的大小可以表达饮酒的豪气程度，瘾君子绰号亦可显现情态：如酒鬼、酒仙、酒圣、酒司令等，再就是肢体语言：如交杯酒、穿胸酒，还有反手掌乾坤、犀牛望月、倒挂金钩等高难度动作，再有单挑、群剿、分阵对垒，或捏鼻猛灌、或管你喜欢不喜欢也要喝的高山流水。苗族是一个豪爽的民族，牛角酒、十二道拦门酒即其表现。有瘾者曾作酒的世说新语即"八荣八耻"：以喝闹酒为荣，以喝闷酒为耻；以大杯为荣，以小杯为耻；以自醉为荣，以他醉为耻；以醉酒不回家为荣，以不醉酒回家为耻；以白酒为荣，以红酒为耻；以战斗到底为荣，以中途逃跑为耻；以乘胜追击为荣，以半途而废为耻；以喝醉人来看为荣，以醒酒看醉人为耻。当中诙谐幽默，却不乏爽朗的豪气。"头天大醉真后悔，次日闻香又呼美；目及杯馔垂涎直，自罚三盅勇举杯。"这就是豪到家的豪气了。

高手自在民间。有的瘾君子长期游弋酒场，心有所悟，大醉大悟，杜撰了大量酒段子。有描绘饮酒渐进状态的如饮酒五步曲：斟酒时和风细雨，劝酒时甜言蜜语，喝酒时豪言壮语，喝多时胡言乱语，喝高时倾盆大雨。酒后五语言：豪言壮语，酒壮英雄胆；花言巧语，劝君多喝点；胡言乱语，神智无深浅；不言不语，进入梦里面；自言自语，醒来悟不断。酒饮微醺，花开半醉。

七

酒的诗章很多，故事也很多。

某人家境不裕，属拖人均收入后腿之列，某年回娘家探亲过年，省吃俭用购买两瓶茅台酒孝敬其父，老人则舍不得享用，留存观摩。开春劳作，其父外出，其母请三个山民破柴，到吃晚饭时，平时其母有些吝啬，舍不得花钱上街沽酒，就将女儿孝敬的茅台酒给三个劈柴汉喝，劈柴汉当然也不识货，也就不会表达感激，但席间不停叫好，两瓶国酒告罄后领了工钱趔趔趄趄走了。他们做梦也想不到，这是他们一生中仅有的一次喝国酒，也绝对想不到这一瓶酒价值他们一年喝的米酒或口粮。过后不久，她女儿回家问及酒时，其母如实以告，她也如实以告国酒价格，之后母女俩无非捶胸顿足，互相埋怨，悔青肠子。在这个案例里，可以深挖出吃得亏打得堆、不舍就不得、老实人不会一辈子都吃亏、聪明反被聪明误等做人做事的道理。窃几位长辈尽管隅居山野，却也知晓国酒的名声，对喝国酒艳羡已久，有着未品饮一杯会遗恨终生的感叹，于是本着孝敬、圆梦的初衷，2005 年，我带着两瓶回家过年一同享用，酒刚入口，啧啧称奇，满脸笑容，可问明价格后（那时酒价还未飙升），就默不作声了，其中一老者还带有批驳的口吻说，一瓶要够他喝一年的了。这并非全盘否定我的孝心，他自有想法。

吉尼斯纪录，是世人追捧的目标，因为这个纪录代表着某个方面的第一。居家曾因酒而拿过吉尼斯纪录，不过这个纪录没有经过权威机构、专家的评审认证，是自封的。某年一好友馈赠一瓶年份酒，清贫的我受宠若惊，视为至珍，作为镇宅之宝般收藏于书房常年不见光的角落里。因久居暗角，尘灰湿气将我的镇房之宝折磨得没有了一丝看相，不起眼就不会有人打主意，就会安全。哪知全错了。立秋过后不多久，一年一度腌酸辣子的季节到了，酒是各种腌制品的必备佐料，腌酸辣子也不例外。那是一个不平凡的季节，我的不起眼的镇房之宝硬是被从隐蔽的藏身之处搜出，被请君入瓮，由此造就了一个别样的吉尼斯——世界上最昂贵也最好吃的一坛酸辣子。

我的家有书香遗风，亦可算饮酒世家，四个长辈皆饮酒，但除四叔外均斯文谨慎，适可而止。膝下育有八弟兄，均能喝善饮，各有风格，各有故事。如海明饮前饮后判若两人，饮前和风细雨，遇事商量通情达理，做事扎实，爱独处自饮、三餐不断、自话自说。树明饮酒较为慎重，风趣幽默，慎言慎行。智明时而干脆时而耍滑，但其喜读书，善谈古论今，酒好且量少会主动帮酒。福明精于电器修工，处事低调，个性中和，酒后稳重。义明军人作风，脾气刚烈，叙事条理清晰，头头是道。慧明为人勤勉，且酒龄悠长，小学启蒙便能喝酒。青明真诚义道，敢于担当，最善收拾酒中残局。血浓于水，情浓于酒，弟兄的感情在相同的血液里传导，在饮酒岁月里浸泡、发酵、升华，情真意切，绵绵长长，围炉夜饮，时常达旦通宵，世代忠良是永恒的夜话主题。

民间有两首涉及酒的劝世诗，其一："无酒不成礼仪，无色路断人稀。无财难成事体，无气反被人欺。"其二："饮酒不醉尚为高，近色不乱乃英豪。不义之财君莫取，忍让饶人祸自消。"两诗有递进、承前启后的联系。相传第二首为明代文豪冯梦龙所作。两诗出语简朴，通俗易懂，警醒力穿透性强。对后三句完全赞同，对前者持保留意见。醉与不醉要视时宜变化、心境情态而定。

一个渐行渐远的诗意乡村
——评杨秀学散文集《村庄旧物》

李家禄

　　剪不断，理还乱，是离愁，别是一般滋味在心头。接连几天阅读杨秀学《村庄旧物》，心里氤氲着缱绻缠绵的乡愁情绪，欲罢不能。在我的印象里，还没有谁如此用心地专一叙写乡村旧物，将清水江流域苗乡侗寨的传统习俗铺陈得场面如此宏大、细节如此缜密，炽热的乡恋情结如同春天飘飞的柳絮，彩蝶翻飞，花枝招展又如丝如缕，缠绕着我这颗由乡村纯朴风俗与浓情蜜意哺育的敏感多情的玻璃心，使我沉湎其间无力自拔。

　　在《村庄旧物》中，令人印象最为深刻的是温馨的乡村旧居。乡村旧居也是我少年记忆中最难以忘怀的成长居所，承载着孩提时代的美好记忆和无法释怀的乡愁。无论在我的小说里还是散文中，乡村旧居始终是一个最为重要且温馨的所在。我之所以喜欢将故事放在魂牵梦绕的生长环境之上，是因为对它熟稔于心。一位指导我写小说的老师告诫我，"写自己熟悉的环境，省去体验生活的艰辛过程，能节省大把的时间"。从作家成长的心路历程来看，每一个人都有一个终生难忘的灵魂居所。我的灵魂居所，毫无疑义就是清水江边的苗乡侗寨，就是我熟悉的小山村。与我流连于小山村的山川地貌、气候风物不同的是，杨秀学带着深邃的历史眼光和深层的文化思维，追踪着生命成长的步履、追寻人生的意义与价值。在他精致的文字叙述里，凡涉及村落，始终在进行着一道又一道深沉的灵魂拷问：我们从哪里来，未来要到哪里去？我们为什么在此停留？在《穿越历史》中，厚重的历史情结力透纸背："大寨懂达，是祖上先民们迁入的最早居住地，其余几个自然寨要晚些时日。在天堂老屋基、美女形、老歌场、落水溪、高坡等地都能找到先祖生存过的痕迹。"关于祖先到来的时间和迁徙路径，他都做了详细的描述与探究："坳上有座老坟，墓顶为羊角型，墓门、门楣、门槛均为青石条块砌筑，墓门字迹清晰可鉴：生于乾隆癸亥年，殁于道光丁酉年。"以此推断出祖先最早的落脚时间，迁徙路线"村民先祖大多自天柱搬迁而来，也有少数来自锦屏的清水江畔以及剑河境内其他地方。"建立了物证基础上的村寨记忆正切合了苗族的历史，从苗族古歌所记载的历史寻迹，祖先"跋山涉水""翻山越岭"方才寻找到了苗岭"金窝窝""银窝窝"这块神秘的土地落脚，避开了战乱，过上了安宁的生活；从祖先口头记忆或族谱等有迹可循的历史查阅，苗岭地区的苗家人大部分从江西、湖南迁徙过来，其源头几乎众口一词落在"江西朱四巷"。诸多族人写文章或前去考证"朱四巷"、关于祖宗迁徙故事、历史遗痕，无奈都流于泛泛，归于沉寂。所谓的确证历史，绝大多数终了了了，让人体会到类似"历史是一个任人打扮的小姑娘"的调侃。

对于乡村旧居的描述与记忆，杨秀学非常认真且包含专业梳理，展示了深刻而独到的文化见识与鉴别能力。从环境方面注重对于村寨周边物态的客观描述："高家店，即园湾、坳上一带，从东夜（地名）引来的一条沟渠叫高家店，西面伏卧着一匹山梁宛若一方坚固的城墙，叫高立山。由此，高姓人家是当时最初落户此地的主人，这个'店'就给人以太多想象空间。"对于如此汉化的地名，可推断祖先搬迁过来时，已具有相当的汉语知识水平，而不像九股苗腹地台拱、雷公山下丹江等村落，地名都带着浓厚的苗语味儿，诸多村寨名由苗语直译。对懂达村的描述进一步证实了这一点："懂达村何以为村名？一说是知书达理、智慧通晓之寓。村民来自文化底蕴深厚的天柱，自然有着崇文尚教的基因。数百年来，家乡人除了将崇文尚教的基因移植外，不同的族源宗系在此交织融合，相生相依，共同构筑了一方独特的地域文化景观。"不过，乡村亦如其他美好的事物，以其发展昌盛的规律展现了一个可以鉴览的兴衰轨迹，历史上苗乡侗寨是贫穷且寂寥的，以雷公山下清水江畔九股苗为例，几乎被一度繁华的明清王朝遗忘在山川深处，甚至建立南长城将其像饺子一样紧紧包裹其中，试图让其在历史的烟尘中自生自灭。在社会巨大变革背景下，苗乡侗寨迎来了生机，"时代变革的风云吹醒了沉睡的乡村，先辈们奋志而起，从创办教育入手，一股股文脉涌流而出，乡村开始了新的一页。"短暂的兴盛之后，又面临着社会的全面转型，乡村又走到了历史发展的又一个十字路口，杨秀学用了"颠覆"一词描述乡村天翻地覆的变化："近几年来，'颠覆'这个词出现频率颇高""家乡完全变了，原有的味道已没有了。除了那辽阔雄奇的群山莽原，除了村庄上空亘古不变的蓝天白云，除了村庄上空朝升夕落的太阳，还有时不时缭绕于山腰脊峦、田野村庄的雨雾霭岚，其他的一切全变了。"一千多人口的村庄，只剩下两百多留守的老人小孩子，年轻人怀揣梦想追踪商品经济大潮，追寻时代脚步，义无反顾地走向山外精彩且无奈的大世界。对乡村怀着最深刻的记忆、最美好想象的作者，面对苍凉的乡村，涌现出淡淡的乡思与哀愁，"是一种矛盾交织、情感纠结的毫无良药的苦痛"。至此，杨秀学以细腻的笔触、多情的乡思，将内心深藏的对传统乡村的眷恋表达得淋漓尽致。

与乡村辽阔雄奇山川大环境下的乡愁不同，杨秀学对乡村旧居的描述与记忆，表达了一种深沉内敛、细腻温馨的怀念，让我们品味着具有浓烈烟火气息的家园记忆。栖居于苗岭山麓，开门见山，山川连绵。青山绿水，无疑是最鲜明而又独特的环境与色彩。杨秀学对于山水环境的描述细致精美，充满了对家园故土的深情厚谊、强烈的炽爱之情："溪边是一个模糊而又清晰的地名概念，是一条溪流其中一段的两岸，许许多多的童年梦、少年梦就在这里起航。"于我，于苗乡侗寨成长的人，溪边、河边、井边、山边等，何尝不是我们梦想启航的地方呢？至少这些地名，连同周边山水绿树，都曾经是我们成长过程中的阳光雨露，深深地浸润入我们的灵魂，成为我们珍贵记忆中不可分割的一分子。我曾经一度怀疑，我们对事物，包括对深山老林中的一草一木、一枝一叶的味道，或其安全性有着精准的分辨能力，或许是先辈将他们在险恶环境中获得的生存经验、味觉选择、规避危险的技能，以记忆遗传的方式植入遗传基因，使我们从小具有分辨可食植物的能力，一代一代才能在危机四伏的恶劣环境中生存下来，也让我们对神秘莫测的大自然油然而生亲近感，感受到一种温馨的家园情怀。用时下流行的词语就是天人合一、人与自然和谐共处。我们乡村人倒没有这么文绉绉的说辞，心中感觉这些所谓的"边"，其实并不边，更不遥远，而是搁置我们身体与灵魂的家园："阡陌，丛林，木桥，溪流及潜跃的鱼儿，两岸茵茵野草，婉转鸟鸣……使得溪边风景如画，成为两边村寨孩童、少男少女的游乐佳地，整个夏天，男孩结伴到这里捕鱼捞蟹，少女则三五成群到此打猪菜""溪边的稻田有不少牛棚，主要用于喂牛、炼制肥料，可省却许多体力之苦。到了秋天月夜，牛棚则成了青年男女的'歌场'，而溪边怡人的美景正好与谈情说爱的心情匹配……从'初相会'到'久的伴'，再到生死相依，一出出人间情爱酣畅淋漓地上演，有情定终身的，有挥泪痛别的，有魂断溪边的……"如此一来，凡有山寨处的"边"地之上，即为村寨生活的中心，是美丽家园重要的组成部分。

在村寨边上优美环境的环绕与呵护之间，构筑了我们更为重要的生活中心，由吊脚楼建筑为主体的温暖的家。"家乡屋舍的风格，是正屋搭偏厦，多为三间一厦，也有五间一厦的，二间正屋的比较少见，从未有过单纯四间正屋的建筑。"这是杨秀学的经验，也是一般山寨吊脚楼建筑格局。凡事都有例外。事实上我家就是四间正屋，建成不常见的四间正屋，却是修改了原来三间正屋的计划。满公见我家四兄弟，出于对我们兄弟未来的考虑，一个兄弟一间屋，于是将设计中的三间屋子造成了四间。其时生产队批准砍伐的树木有限，增加的一间占用了木料，父母亲又不得不想办法从其他地方砍伐树木或拆旧屋材料装修新屋，住进新屋已是几年之后了。只是提建议的满公，包括父母亲及我们，谁都没有想到，四兄弟时下竟然没有一个住在四间屋的房子里。以我家的情况而论，社会发展速度和成果超出了早年人们的见识与预期。不过，在当时抑或现在，建新房相当于建新家，对一个农村家庭来说亦是相当重大的事件，不由得格外重视，"起屋，对于一个人，对于一个家庭，绝对是头等大事。树大分丫，崽大分家，这些都是最自然不过的，分了家，另起炉灶，得居有定所，就得起屋……起屋，是人生路上最隆重的成人礼！是一个复杂的系统工程，会牵动着一个村庄的所有社会脉络，从中可反映出一个区域社会与自然、精神与物质的方方面面。"阅读杨秀学所描述的，又是我再熟悉不过的情景，亲切之情油然而生。我敬佩他对事物的精细梳理与分析。在我的印象中，似乎还没有谁如此细致用心且周到地观察记录成长过程中所经历的事情。我家起新屋时，我已读小学四年级，父母亲艰辛造屋的情景历历在目，甚至为了搬回已在山上打造好的新屋枋子、板子，父母亲总是在队上收工后，趁着月色沿着崎岖的山道来回几趟搬运，我在家里烧火煮饭、招呼弟妹。因父亲是木匠，我熟悉造屋的每一个细节，父亲踩着新屋梁柱瓜头一步一步登高望远："我站在梁头打一望，一望望见好风光，左有青龙来进宝，右有白虎来朝阳"，父亲苍凉的声音穿透山梁，穿过岁月的迷雾，至今犹在耳畔。我前些时候回家，年已八旬的父亲早已没有了先前的生气和活力。可是，我从来没有想过，通过对父亲经历的描述，将具有厚重历史感、深厚文化与人文情怀的乡村生活过程与细节记录下来，让它在岁月中沉淀，成为乡村人文历史的一部分，也积淀成为苗乡侗寨特有的文化与精神内涵。人杰地灵，乡村民俗与民族文化之所以如此美丽丰饶，充满了神秘莫测的文化魅力，就在于无数歌者用才华和智慧在歌咏它、赞美它。杨秀学也是这样一位勤奋且有责任担当又才华横溢的歌者，用心用情、细致入微地记录乡村发生的一切，使其成为乡村厚重历史之一部分。也让人们歌唱中的乡村历史，成为一个多向度、开放性的文化系统和创新性文本，不断融入新的内容，并演化为一座不断生长的鲜活文化森林。有专家说，藏族英雄史诗格萨尔王就是一部开放性的史诗，使格萨尔王如一只不死鸟，永远保持生机活力，庇护他所爱的民族与人民。其实，苗侗民族亦是一个英雄辈出的民族，也永远保持着生机活力，如同杨秀学在记录贺新屋的贺词所唱"户主造就新华堂，惊动天仙下凡阳……粑撒北，荣华富贵由此得，粑撒中，主东代代出英雄"。这种美好的祈福与愿望，只有在新时代才能够真正地赋予与获得。亦如毛泽东在《沁园春·雪》所吟："数风流人物，还看今朝。"通过无数代人的努力奋斗，苗侗人民期盼的家的安详与温暖，期待了数千年的美好生活，到今天变为现实。

乡村的美好环境和屋舍的宏大构建，容纳了与人们相依相伴又千奇百态的劳动工具、生活用具，以及属于苗乡侗寨特有、孩提成长又必不可少的儿童玩具。在杨秀学笔下，这些乡村旧物充满温润的人文情怀，盛载着如丝如缕的乡村烟火气息和淡淡的怀旧情结，释放着浓浓的乡愁，像春风春雨一样滋润着我们的灵魂。在《一个渐行渐远的背景》中，他写道："村庄乃某一隅历史文脉的容器，也是一方地域乡愁的载体……每一个村庄，都有自己独特的生活、生产、生命、生存的元素，有物质的，也有非物质的。其重要元素的组合，就是技艺、制品及其主体——工匠和工匠精神。家，作为社会的细胞，也是由一个小系统构筑而成，众多的家又组合成一个寨子、一个村庄、一个小社会系统。"或许是长期在政府从事文字工作的原因，杨秀学的文字体现了很强的概括性和概念特征，即用概念精准描述事物的性状与特点，能够让人们容易就能够辨识与接受。事实上概念也是人们认知事物而得出的结果，证明了作者强大的认知能力，对复杂事物精准的概括能力，从而让读者通过简洁的文字，通过事物的表象透彻地认知事物的本质特征。通过作者所罗列的复杂事物及吊脚楼珍藏的重要物品，客观上将一座高原生态博物馆的状貌生动翔实地展示在读者面前："有一位画家朋友，一生专画农村物什，有数百件之多，我不懂画，无法从画技上去品头论足，但他的立意却让我震撼：乡愁……单举我们日常用度的，竹器（簸箕、撮箕、箩篼、饭盒、焙笼、笆篓、弯篓、捞篼、鱼转、篮子、格筛……）、手工针织（家机布、服装、布鞋、袜子、垫肩）、遮阳挡雨物具（蓑衣、斗篷、纸伞）、日常之物（草鞋、扫把、刷把）、木器（刀挎、禾折、杠子、犀斗、风箱、织布机、榨油的木坊、制铰梭、庞桶、淄桶、木桶、脚盆、脸盆、桌椅板凳、粑槽、床铺、木箱柜子、捉鼠器……）、石器（碓窠、磨子、磨刀石……），这些都是先辈们耕耘劳动、生活起居必不可或缺的。"我们孩提时代就是在这些器物包围中，在它们吱吱嘎嘎合奏的美妙乐声中，度过美好的一天又一天，经历了一年又一年。器物的形象及其名声，以及发出的不同声响，就如同村寨边辽阔的大自然发出的声响，像母亲亲呢的呼喊、美妙的摇篮曲，融入我们的身体，与我们日渐成长的灵魂融合为一体，以至离开乡村多年，仍然难以忘怀。能够唤起我们乡愁记忆的器物，大致又可分为生活类器物和生产类器物。以生活器物方面而言，杨秀学以历史记忆的方式，探询了八仙桌的来历，功用及其相关的风俗文化。传说为八仙所赐，因涉仙人，功能自然庄重，"八仙桌首先是供桌，用于摆放祭品，与祭礼关联""凡遇贵客临门或庄严要事用餐，就得请大八仙桌隆重登场。"摆上八仙桌的菜及八仙桌上的宾客等，遵循祖制，各有讲究，杨秀学都做了细致而精到的描述，寄予了丰富的生活希望与想象，八仙桌被他称为"生动的课堂"。我也对堂屋的八仙桌及桌边发生的种种趣事乃至于故事，至今记忆犹新。据称，李姓堂屋八仙桌靠神龛位置只能坐本家长者，外姓人不能随便坐。一位堂姐出嫁，嫁给姑妈的儿子亦即我表哥。不知是无意还是有人有意打整这位老表，堂姐回门，新姑爷表哥坐上神龛下主位，酒后竟然发起酒疯，满寨子狂奔，闹了一夜未消停。此前或此后，表哥从来没有发过酒疯。因此事，我对神秘的八仙桌怀着一种敬畏之心，到陌生人家里见到神龛主位，避之犹恐不及。他对生活器物的描写还不止于此八仙桌，对其他生活也进行了精彩而全面的记录，围绕着不同用具形成的简朴整洁生活习惯，即形成独特的风俗。

生产器具在杨秀学笔下，有情有景还有声响，宛若一幅幅内涵丰富、意韵深远的水墨山水画。"很吸附我的童年梦忆的那辆纺车，奶奶曾用于纺纱织布的物件。奶奶纺纱织布的情形至今历历在目……或白天或晚上，佝偻着快要达到九十度的身躯，坐在凳子上，娴熟的操作已与她生命相连的纺车，'喔当、喔当''咿咿呀呀'的声音便在晨昏午夜中回荡起来，特别是在午夜如豆的橘黄色煤油灯下，纺车不停地转动，不停地鸣响，现每每回忆，都是那么悦耳！"可以想象，这辆旧纺车，已与勤劳的奶奶的命运紧密联结，成为她生命中不可分割的一部分，同时又与乡村少年的成长经历联结在一起，丰满了梦想色彩丰厚了乡愁记忆。杨秀学的乡愁记忆，几乎都是充满梦幻色彩和美妙声响的，"水碾和磨坊是水乡泽国的风景，那磨坊里吱吱嘎嘎转动的水碾是水畔人家的乡愁""每家都有'碓边'，为房屋正厦旁边配套的相当于正厦半高的偏厦，用于安置碓臼等一套行头……清晨拂晓，鸡鸣犬吠中，整个寨子从睡梦里苏醒过来了，炊烟渐起，'咣当''咣当'的舂碓声此起彼伏，还有'狗吠深巷中，鸡鸣桑树颠'，这是山乡村落水墨画中的一幅。"成长于苗乡侗寨的孩子是幸福的,他们在青山绿水间成长,在风雨中成长,在鸟啾虫鸣中成长,出门即有景,景色皆如画,画中即有声,童年就在如梦如幻的水墨山水画中悠游,陶冶出敏锐多情的审美情趣,纯朴美好的灵魂。我想,这是杨秀学对于乡村旧物寄予深情,纵情展示厚爱与情怀的意义所在。

在家园之上,一辈又一辈的乡人辛勤耕耘与劳作,他们的活动轨迹,以及属于苗乡侗寨独特的生活方式,成为一种美丽乡俗,积淀凝聚成为一种文化与风情,滋润着此间生长的每一颗灵魂,也长久地温暖着离乡游子的心,织成一条条剪不断、理还乱的乡思与哀愁。乡俗的日常自然是借助于乡村旧物,亦即诸多的生产生活家什物件而展开。在打米机等机器还没有进入村庄之前,村妇何其辛苦,每天清晨挑着木桶,从水井挑回清甜的山泉,灌满家里大水缸,一天的洗刷用度就全靠水缸里的水了。然后,村妇将焙笼上焙干的稻谷倒进石碓窝,"咣当"的声音由此响起,此起彼伏,形成一道安宁祥和的碓米曲。山村假如少了这道美妙的晨光曲,巧妇难为无米之炊,乡村人日子肯定就难过了,心里就恐慌了,饥饿将威胁人们的生命,接下来的日子将陷入无比悲催的境地。杨秀学以极为强大而细致的耐心,围绕着乡村屋子里的各种生活习惯、种种生活味道,以讲故事的方式娓娓道来,对于如我一般熟稔高原乡村生活的读者,如同酒后听着身旁兄弟的叨叨絮语,显得那么平和而亲切;对于不熟悉此场景的读者,则如同展开一幅精彩而又奇妙的风俗画,新颖、奇特,如闻仙语,如品奇果,给人以神思遐想的辽阔空间。也有一些东西是华夏民族共享共通的文化习俗,如解释筷子的喻义:"筷子上方下圆,象征天方地圆,契合阴阳。我们削制的筷子长度为七寸六分,按老辈们的说法暗寓天上北七斗南六星,要上顺天意，敬畏自然，珍惜粮食，'君子以俭德辟难'（《周易》）。"对于舌尖上的风俗与味道，又是居于雷公山区的苗乡侗寨所特有的，非此莫属。他笔下的酸味系列，如鱼酱辣子和寸寸菜，配合不同的节日、不同的粮食用料制作的各种粑粑，舍此无他。鱼酱酸辣子曾经被中央电视台"舌尖上的中国"专题报道，享誉神州。剑白香猪庖汤，"瘦肉精丝细腻，嫩而微腥，颇有嚼头，妇女儿童尤喜。而壮汉老人则嗜肥肉，清水煮的肥肉，肥而不腻，软中带糯，隐隐有可心的弹牙感。"这种香气四溢的美食，又是另一类天上人间的美味了。

据实而言，乡村并非一开始就这么安宁而富足。杨秀学在《火边记事》讲了这么一个故事："有一地主，为了炫富，将一块岩盐用麻线拴住悬吊于小炕上，凡有客至，便将岩盐轻轻地放到锅里溶解少许，然后慢慢抽回原处，当然会引起世人羡慕。"同样故事，我听到的却是另一个版本。旧时苗区缺盐，马帮从四川运进颗粒粗大的岩盐，苗人为了节省，用布包裹悬挂于炕上，菜煮熟，便将岩盐放到菜汤里浸一下，然后让盐水一滴一滴地滴入菜里，节约了盐，又能品尝到少许盐味。当然，虽是同寨，别人家的故事也是要通过礼俗相交而观察得到。苗侗村寨间的走村串寨、相互交往是一种极为重要的传统风俗，也是黔东南乡村民俗与文化中极为重要的内容之一。过去人们一度认为，这是苗侗民间所特有的珍贵民俗。历史记述，北宋年间拟定的《吕氏乡约》提倡："礼俗相交，患难相恤。"《明会典》规定："每年春季要以一百户人家为准，按时举行乡饮酒礼之会。"其目的就是要求百姓通过相互交往，增加了解，增进感情，营造和谐安宁的社会治理环境。黔东南地区相对封闭，将民间乡约治理的传统特色，和具有浓厚历史因素的"乡饮酒礼之会"传承下来，并演化为温馨宜人的民族文化传统。这么重要的风俗自然不能缺席《村庄旧物》："进入冬季，乡党们便忙碌起来，冬天为农闲，又有了秋收冬藏的物质铺垫，许多家庭的诸般大事都要在这个时节展开、就绪，如起屋、乔迁、婚娶，乡党乡贤们便要围绕着这些大事展智慧、献才艺。"随着"请柬"送出，各种乡间交往活动由此展开。杨秀学这里所写，仅指大事喜事活动。村寨之间相约走客，亲人约定聚会，春节玩龙灯，相互串寨等集体活动，以及著名如台江姊妹节、侗族大歌节、天柱四十八寨歌会等，人们按照约定俗成的时间聚集在一起，尝美味，品美酒，欢歌笑语，歌声嚷嚷，苗乡侗寨喜庆祥和，堪比天上人间。

喜庆离不开欢乐的歌声，温婉美妙的歌声是黔东南民族文化极其重要形态和标志。孔子曰："兴于诗，立于礼，成于乐"，观察一个社会是否兴旺发达的重要标志，就看是否有歌声，人们是否享受快乐美满的生活。饭养命，歌养心，黔东南的歌者、文化学者或研究黔东南的人文学者，涉及黔东南乡村与民族文化，绕不过去的就是丰富多彩又博大精深的苗侗民歌，典范性的歌曲类型有侗族大歌、苗族飞歌等。古语云："诗言志，歌咏言。"在苗乡侗寨，民歌是人们真性情的自然流露，如山泉水一般，无处不在，随时流淌。歌的类型又非某种旋律或歌曲类型所能概全。苗侗民歌依歌咏唱的场景和生活功用可分为古歌、礼俗歌和情歌等。古歌注重对民族历史、乡村历史和历史人物的记忆与展示；礼俗歌较为复杂，如酒歌、出嫁歌、丧葬歌等，大多为应对某一特别场景而歌咏的民间歌谣。尽管《乡村旧物》围绕乡村旧物展开叙述，其中仍然能够感受到无处不在的黔东南民歌韵味，《八仙桌——生动的课堂》中写道："八仙桌还是歌手们展示才艺的地方，也是以歌劝世的场所。

歌声悠悠，有时通宵达旦不息。许多的劝世文、劝世歌（如孝经、怀胎经、兄弟和睦、珍惜时光等）正是由此传唱出来、传承下去的，浓厚的乡风乡情也正是由此一脉一脉地沿袭下来的。"对于歌的内容，我没有杨秀学记忆得如此清晰，其他研究者对他的记述已有印证。我对八仙桌前通宵达旦的歌唱却是记忆深刻：隔壁堂姐出嫁，她玩山的男伴特地邀约了几位伙伴，挑着几大箩筐贺礼来给她送行，以极其宽宏的心态祝福她的新婚，对他们的爱情做最后的诀别。于是，宴席终了，宾客散去，八仙桌又摆上酒菜，双方男女伙伴围着八仙桌对歌，通宵达旦，忧伤的情歌如水流连绵不绝。第二天凌晨，堂姐跟着接亲的关亲客上路，少年时代的情人黯然退场。从此一别，互不牵挂，两不相欠。苗侗青年对待爱情的潇洒态度和对情人的真诚祝福，深深地打动着每一个人，也获得新婚丈夫的宽容与谅解。八仙桌也是唢呐匠演奏的平台，给新婚增添喜庆。我还见过新婚人家特邀歌师主唱，寨中年轻女人围着歌师，待歌师唱罢，一同和乐起韵，余音袅袅，绕梁不绝。多年之后，参与者仍然能清晰回忆欢乐场景及深情祝福的歌谣。贫穷的乡村用独特的智慧和精神方式，给新人特别的祝福。沐浴着这种幸福的光辉，这对即将开启新婚生活的年轻人来说，是多么难得的幸福啊。我所说的是出嫁和送亲方面。迎亲的男方宴席也少不了歌声，《时代的乡村盛宴》写道："无论哪家娶亲办酒，酒歌是必不可少，主人家都要请寨子上最能唱的歌手陪同娘家送亲人唱歌敬酒，歌声一起，整个酒席气氛顿时达到高潮，动人的酒歌声悠悠扬扬，从掌灯开席唱起直到雄鸡报晓，从盘古开天地唱到时下生产劳作、家庭生活，从正月唱到十二月……从堂屋飘逸而出，在寨子上空萦绕回荡，让人陶醉，让人沉迷。"

堂屋新婚幸福的歌声，却是寨子边、山野的山歌或情歌酝酿和促成的。这是一个更宽广的民歌场所，也是充满激情，更富有韵味，同时更富有想象力和创造力的民歌现场。记述黔东南村寨生活，自然离不开曾经创造了享誉世界的民歌"侗族大歌""苗族飞歌""侗族琵琶歌"等苗乡侗寨的山野现场。对于苗侗乡人来说，缺了歌声的酒席，如同缺少了一道佐酒的硬菜；对于山歌吟唱来说，缺少了山野歌场，等于缺少了抒情的平台，将会让平凡的人生、鲜活的生命失去鲜艳的色彩。在《荒芜的歌场》中，杨秀学写道："赶歌场，曾经是故乡一道不可多得的亮丽景致"，并提到了天柱四十八寨歌会，"四十八侗寨的男女老幼，尤其是青年男女身着华装，向歌场汇聚，歌声鼎沸，场面盛大。这一文化之风随先祖们的到来，向这一方的崇山峻岭顽强地吹拂。""我记忆中家乡的歌场有三处"天堂界老歌场、三脚垭、唐留。"关于天堂界老歌场："四面八方的人流蜂拥而至，历时三天，人数少则数千、多则上万，营销肉食、山货、百货商品的摊位就有四十多个……民间歌手对歌斗智，年轻人则在对歌中寻觅伴侣，商家借机发点小财。"后来，录音机出现，伴随着邓丽君甜蜜蜜的声音，歌场一度达到历史巅峰。尔后，随着年轻人外出务工，歌场渐渐没落。当然，随着社会的变化，人们的娱乐及欣赏习惯也在变化，传统歌场等社交形式也在发生深层次的渐变。那些当年跳坝坝舞的，如今在城市跳起了广场舞，邓丽君的靡靡之音，换成了更加欢欣的"小苹果"，如是而已。人们心中对于梦想的追求，对于幸福的向往，对于欢乐的感受，对于音乐的欣赏却永远不曾变色，甚至随着生活越来越富足，人们有了更多的时间欣赏音乐。其实，这不就是人们心底最本质的向往与追求么？这一点可以从礼俗歌中的起新屋上梁的祝词中感受得到。《起屋上梁》："《吉利》：一步一门多吉利，两步两花两朵银，三步三星来恭照，四步四方招财门，五步五子登科早，六步禄位重高升，七步高官文武位，八步神仙吕洞宾，九步九老增福寿，十步十全喜沉沉，十一十二步步高，荣华富贵是今朝。十二步云梯到了头，文登阁老武封侯……"生长于华夏是幸福的，祖先创造了如此丰富的文字让我们可以纵情表达对美好生活的向往；生活于苗乡侗寨的我们是如此幸运，能够以纯真而坦荡的胸怀祝福他人或接受他人的祝福，使我们在办喜事时或重要的节庆随时随地都听到或得到来自他人最美好的祝福，让我们即使在物质匮乏时代，内心也能够如此温暖、如此富足，在艰难的日子也能够感受阳光灿烂。时光荏苒，风光倒转，我们已经过上了先辈期盼的小康生活，随处可听到欢乐的歌声，让我们沉缅于浓厚的文化氛围里，获得物质与精神的双重享受。或许，某些山野歌场真是荒芜了，我们的精神却变得更加充实而丰盈。荒芜的歌场及其美妙的歌声，化为一只承载美好历史与文化情怀的不死鸟，永远飞翔在我们精神的天空，庇护着我们及子孙的灵魂。

逝去的终将逝去，我们唯一能做的，就是对于乡村传统旧物世界的记忆、怀念和描述。亦如我们的父辈，坐在炭火旺盛的火塘边，端着甘洌清甜的糯米酒，神采飞扬地描述过往的历史，以及小人物特有的丰功伟绩。经过酒精发酵和精彩言语包装的故事，不经意间成为铺就历史文化长廊的砖石，我们及我们的子孙就在上面行走，心情悠闲美好又活泼有趣。正是杨秀学这样才华横溢、充满情怀的有心人，用生动的语言描述一个个精彩故事，构起一个内容博大、风格独特的民俗文化世界，形成别具一格的审美情趣与价值，一点一点累积成宏伟的文化体系，成为壮大民族精神、滋养民族灵魂的丰沃土壤与文化世界。对于后人来说，这何尝不是又一个乡村世界的珍贵旧物呢？

作者简介：李家禄，中共黔东南州委党校教授。笔名斯力。中国作协会员、贵州作协会员、州作协副主席。出版理论著作《天道》《理想价值论》。发表和出版长篇小说《大后方》《军饷》《木鼓之舞》《凤凰池》等八部。在《电影文学》《语文建设》等期刊发表论文、散文、小说等数百篇。计400余万字。

村庄忆旧及其他
——读杨秀学《村庄旧物》

潘 勇

在寒冷、潮湿而漫长的冬夜，翻阅秀学兄的《村庄旧物》，我依然心有悸动、如沐春风、感慨万千，因为早在大半年前，我用了近半月的闲余时间，细阅过他发来的《村庄旧物》电子文档。喜新厌旧，固然是人之常情，但常情之外，有例外。如酒，"老酒"就比新酿的佳。又如，故乡往往比"新家"让人感念。《村庄旧物》就是一本让人读后对"旧物"泛起记忆的书，而这种记忆混杂着幸福、喜悦、忧伤、感怀、焦虑……种种情愫，我们通过秀学兄笔下的一件件"旧物（事）"，以及沉淀在其中的回忆，找到了把我们和生活联系在一起的一种美好、一种安慰、一种依恋。

秀学兄年长我几岁，自小敏而好学，二十世纪八十年代初，高中金榜，成为县里寥寥可数的"状元"之一。大学毕业后旋即进入家乡的县政府，至此完成"龙门"一跃。在三十多年繁忙的公干之余，他始终保持对文学的热情和敬畏，这可从他与同好交游中的谦逊、有礼看出端倪，也可从他常年笔耕不辍、佳作迭出看得出来。《村庄旧物》是秀学兄继《过往的记忆》后的第二部散文集，也可以说是一部关于他的故乡——懂达的村志，只是他采用的是文学的形式去抒写。自然这部集子讲述的就是关于懂达的人、事、历史、习俗、礼仪、景致、方言、物件等。据其所言，他原本想要写一部传统意义上的方（村）志，但由于文字资料的缺失、村中老人的渐次西归等因素，加之他参加工作后就远离故土，间或返乡也犹如"点火"，来去匆忙，造成他对资料的"全面、真实、准确"难以把控，便另择他路，于是，有了《村庄旧物》这本集子的诞生。

秀学兄的人生可谓苦尽甘来。在《村庄旧物》里有不少篇幅写到他负笈求学的艰辛，如下课后疾步如飞奔向食堂、菜碗里的"玻璃汤"（冒三两点油星的菜汤）、对早餐的渴望等描述。这些情景，一次次把我拉回到中学时代，因为那样的场景，每天都在我的身边上演，历历在目，恍若昨日。记得那时，几乎每个周末，我都会邀约来自农村的同学到家里玩耍，慈祥、宽厚的父母，总要留下他们吃饭，自然当天的饭桌有"油水"可捞，且不少。饭桌上，起初这些同学还拘谨、扭捏，但终究抵挡不住锅里肉香的诱惑，眨眼的工夫便把刚才的羞涩和胆怯抛到九霄云外，露出狼吞虎咽的"真容"，每每这时，母亲便面露心酸样，常年奔波于农村的父亲则会问及他们来自哪村哪寨，甚至哪户人家，并鼓励他们"要敢于攀登，努力学习，回报父母，建设家乡……"我也因为与这些同学的交往，得以有机会随他们走进村寨，了解和体验农村生活的艰辛和山村特有的乐趣。尽管那时的农村在方方面面都非常的艰难，但并不影响他们质朴、热情的待客之道，这点对我影响至深，让我至今依然可以敞开心扉待人接物，而不必心机重重，处处设防，享受到一份"农民式的愚钝"所带来的"红利"。

正因为有了这样的经历,我对《村庄旧物》也就有了较为深刻的认知和情感上的亲近。以我的私见,秀学兄的这本集子,就其本质而言,是以一个村庄(懂达)为例,对时下"三农问题"进行一次全面的思考和剖析。故,他笔下的八仙桌、古树、古井、古宅、古歌场、纺车、磨坊等旧物和尚武遗风、走亲访友、起房上梁、奇异的魂灵等旧事,不仅把我们带入流逝的生活场景的回忆中,也把我们带入了现实的思考中:城市现代化的突飞猛进,其对于农村的影响和冲击以及村民对现代化生活的本能向往,所带来的外迁(在外定居、长年外出务工)、生活方式的改变、思想观念的转变等,让我们的村庄显得满目疮痍,日渐萎缩,而这种萎缩不仅表现在大量田土的荒芜、房屋的空置、常住人口的稀少(现在居住的主要是老人——原先的留守儿童也因村级小学的撤销而在乡镇及县城留校住宿),更可怕在于以"温良恭俭让"为核心的村庄传统文化的颓败,甚至被"新生代"无情地抛弃,面临湮灭的命运,让昔日弥漫着尘世乐趣,有着深刻的生命情操和高明的人生理趣的村庄的"存亡"变得现实、敏感而复杂,而这正是《村庄旧物》的价值和意义所在——在时代的大变局里,作为文化的集合地,又是文明的根基所在的村庄,将会面临怎样的命运?

从某种意义而言,文学的价值在于审美的同时引出"思考",而非给出具体的"答案"。《村庄旧物》没有给出解决"三农"问题的方案,它只是深情地叙述和精细地记录。在阅读《村庄旧物》的过程中,我既感到一种审美意义上的愉悦,也透过字里行间感觉到一种如累卵般的危机,甚至让人仓皇失措的焦虑和抽筋般的痛。这种焦虑与痛,也让我从"耳畔""纸上""记忆里"对农村的粗浅认识，开始关注和思考现实中的农村问题，尽管这样的关注，无任何的意义，但却是我阅读《村庄旧物》的自然"反射"，也即所谓的读书"乐趣"。这份"乐趣"不仅来自秀学兄灵秀的文字和精彩的叙述，更多则是来自他多角度、深层次的观察和思考，例如，土语——区域性方言长久以来被压缩的情势，在当下这个瞬息万变的网络时代不但没有得到缓解或复苏，反而随着网络语言的异军突起，强势"登场"，加剧了其"瘦身"的速度，愈显危机，且呈无"药"可救之势，可谓"命悬一丝"。事实上，肯定也好、否定也罢，"土语"将不可避免地成为"旧物"，并将在时间的长河里随流远去……我想，对于"土语"面临的危机，秀学兄的认知和感受比我更为直接和强烈。难能可贵的是，他"知"而"行"，以一管豪笔为之"立此存照"，这样，我们在《村庄旧物》里看到了久违的"土语"。读着收骇（压惊）、该音（幸好）、背时（倒霉）、香音（便宜）、摇裤（内裤）、夹壳（抠门）、礼信（礼物）等这些我辈耳熟能详的"土语"及注释，我们感受到前所未有的冲击——血液的江河在奔涌，心脏的脉搏在狂舞，思想的翅膀在逝去的时光里翱翔……更为可喜和惊叹的是，秀学兄关注的对象和视角，不仅仅只限于语言、服饰、饮食等这些显见之"物"，也聚焦于村庄不可或缺，却又"冷门"的"行当"，如婚嫁、满月、上梁等必须用到的"四言八句"和"礼数"，他都不厌其繁杂、晦涩，认真搜集，翔实记录，为我们保存下了农村原汁原味的"礼"的资料。这也是我认可并推崇这本书的缘由之一。

秀学兄对故乡感情至深。据闻，其对家乡的公益贡献颇多，但凡家乡有架桥、修路、通水、通电、通广播电视等需求，他都不遗余力，周旋协调，甚至不惜放下"脸面"相求于同僚、故旧、新交，成果丰硕，乡中贤达以"懂达优秀的儿子"赞誉之。如今，他不忘初心，饱含深情，用或凝重、或轻灵、或诙谐的笔墨为故乡"立传"，把懂达的人文历史、舌尖美食、乡风习俗、人情世故等等写得浑朴自然，意趣涣涣。让熟知者莞尔，陌生者惊叹！如写父老乡亲，有至情，有厚度，亦有趣味，让一个个人物栩栩如生、活灵活现地跃入我们的眼帘：精于纺织的奶奶、艺高胆大的祖父、知书达理的父亲、让人忍俊不禁的万宝和显贵，享受"抽合"（怂恿）的开里哥、奇思异想的风水先生、锱铢必较的算盘先生等。他们不是冷峻幽玄者，也非高古瑰奇者，他们只是芸芸众生中的一员。他们在村庄这个大舞台，扮演着属于自己的生、旦、净、末、丑的角色，过着平凡、普通的乡村生活，他们真实地活在自己的命运里，活在岁月的时光里。他们的命运亦是农村的命运，他们的起落沉浮亦是农村的起落沉浮。其实，只要把时间、空间、"故事"稍做转换、移植、变更，他们的人生，又何尝不是我们的人生？

通读全书，秀学兄的文字质朴、流利。写人性格鲜明，细节丰满；叙事详略得当，引人入胜，但这皆不重要，重要的是完成了他以文字"回向"故土的宏愿，以一本书来纪念故乡远去的旧物——人、景、物、事，让我们了解了"懂达"的历史也即当下的农村。故而，我斗胆地认为，《村庄旧物》不仅是一本关于村庄记忆的优秀散文集子，亦是一部记录中国西南少数民族地区农村演变进程的民间档案。它的价值将会随着时光的流逝、社会的变迁，乡村的演变，越发显得弥足珍贵，尤其是那些业已消亡的生活场景、物件、乡村氛围，以及村庄细节同历史记忆。我也相信，现在和以后的读者在欣赏和感叹这幅清隽细腻的乡村风情画卷之余，也会像我一样生发出对作者由衷的感谢和敬意！

作者简介：潘勇，男，侗族，台江县人，自由作家。初中时代开始创作，发表小说、诗歌、杂文、散文、文学评论若干。发表于 2014 年的文学评论《一苑根植于大地的奇葩》，被王凤刚先生列入其收集译注的 120 万字苗族口传古籍经典巨著《苗族贾理》（第二版）。

记忆，在岁月里沉淀

——《过往的记忆》读后感

龙　艳

秀学兄的散文集《过往的记忆》我读了很多遍，对其中的很多篇章是感触很多，印象很深。于是，他的那些过拄的记忆便也成了我的记忆，虽然往事都已成为遥远的过去，却越来越清晰地印在了我的心海里。

因为平时与秀学兄的交往不多，所以对他不是很了解，读了他的文章，才知他原来是这么一位有着许多有趣和难忘往事而又历经诸多锻炼的人。他出生于民风豪迈朴质、崇尚礼数的乡村，童年在这样的生存环境中成长，血液里自然浸润着山里人的特质，大山的宽广也赋予他大山般的胸怀。

在那个受荆楚文明影响、沿袭着重勤重教的乡村，更因为父母的言传身教、循循善诱，他从小就懂得了学习的重要性，一路从村里的完小读到了南寨的初中，又翻山越岭到了剑河民族中学读高中，最终考入了省城贵州民族学院中文系。大学毕业后到县政府办工作，先后在政府办公室任秘书、秘书科长、副主任。曾调至州政府办公室工作，还任过榕江县塔石乡的第五任党委书记等，后又调州委、州政府任副秘书长，参与一系列重大活动后勤保障的组织策划，协助有关领导工作，并具体分管文字把关、建议提案办理、信息督查、政府经济民生宣传策划等。

仅仅是从秀学兄的工作经历中，我就不难想象他的学识和各方面的综合素质是多么的过人。随着对他的了解加深，不由得也对他多了几分敬重。秀学兄能有这样的成就，与他自身的努力与父母的影响有着很大的关系。他很幸运，有非常值得敬重的父亲和母亲。都说父母是孩子的第一老师，确实如此，什么样的父母培养什么样的孩子。

秀学兄在《前言》中写道：父亲是一位老学究，毕业于赫赫有名的榕江国师，学成后曾在榕江风光如画的小丹江昂英一带事教。他满腹经纶，记忆力惊人。勤耕重教、诚实守信、忠孝传家、礼义为本是他的口头禅。他对古典文学、历史掌故尤有心得，对历史人物功过是非或褒贬观点鲜明，对历史故事如数家珍。童年时代，每日晚上劳累了一天的家人吃罢晚饭，忙完家务，围在火塘边，父亲便开始讲述历史故事，仿佛顺着时光隧道又回到了远古，从盘古开天地、女娲补天造人、后羿射日，到神农为普救众生而勇尝百草、大禹为治水三过家门而不入、周文王行猎渭水重用直钩垂钓的姜太公，到三国演义中刘关张桃园结义、诸葛孔明五月渡泸深入不毛七擒孟获，到岳飞精忠报国、水浒传一百单八条好汉啸聚梁山水泊替天行道……母亲没有文化，在农村最平凡不过，但她那言简意赅的教诲却一直影响我一生，特别是她那几句让我耳熟能详的话语成了我终身的座右铭，如：为人要"以诚相待"，对人要"与人为善"，处世要"多交朋友少结怨"，这都是一些朴实无华的乡村俚语，却能够有效提升个人的境界、修为。如果说，父亲教给我修身立命之本，母亲则教会我处世为人之道，这永远都是跋涉人生旅途的灯塔。

确实，父母的引导和言传身教对孩子来说是非常重要的，秀学兄的父母和他的人生经历让人感慨、感动，也让我想起了一些反面的教材，有的父母一味地溺爱孩子，不管孩子要什么都会尽量满足，还迁就孩子的一些不良嗜好，结果往往会害了孩子。我母亲常给我们讲一个很惨的故事，说是有位母亲很爱她的儿子，到了纵容的地步，终于有一天，儿子犯了死罪。临刑前儿子见到母亲，说要再吃一回母亲的奶。母亲这时仍然答应了儿子的要求，于是，儿子狠狠地咬断了母亲的乳头，说："都怪你太惯我，是你害死了我呀！"结果，母亲先于儿子死去了，母子俩双双在同一天死去。类似这样的事情太多了，但愿天下父母都能正确对待自己的子女，引导他们成人、成材，不要再酿悲剧。

秀学兄的文笔老道，遣词造句准确到位，笔触细腻、深沉，但又不乏诗意，读起来非常的顺畅、优美，字里行间有对美好童年的回忆和留恋，有对故乡深沉的热爱，还有对生命、人性的解读、追溯、思考，也有对祖国大好山河的赞美和对人生深刻的体会。

在《寻找过往的童真岁月》一文中，秀学兄用优美的文字把儿时的游戏、乡村的风物、风俗一一准确地表现在读者面前，让人感同身受，妙不可言。也许同为山村儿童的原因，看到秀学兄家乡的风俗习惯和人们的价值取向，以及儿时玩过的种种游戏，我竟有种非常熟悉、亲切的感觉，仿佛就是我的亲身经历一样。因为，那些童年的游戏都是我们小时候玩过的，虽然他的家乡与我的家乡相隔很远，一个是侗寨，一个是苗乡，但所玩的游戏却惊人地相似。

从放鞭炮、打陀螺、打水枪、削木枪、打竹枪、打仗，到捉萤火虫、捉蜻蜓、斗叫唧唧，再到击鼓传花、躲猫猫、龙摆尾、踢燕子、踩高跷、搓雪凌、推铁环、吹肥皂泡、藏手指、打弹弓、折纸飞机、纸船、三三棋、挽古、拉呜呜、捡子等，我们都玩了个遍。现在想想，我们的童年虽然穷点，但玩的游戏却丰富多彩，倒也乐趣无穷，还有益于身心健康。不像现在的孩子们，大多都沉迷在手机、电脑游戏里，对眼睛和身心健康都很无益。

我很佩服秀学兄的睿智，居然能把儿时的游戏写得如此齐全而生动有趣，同是玩过的游戏，我怎么就写不出他这样的好文章来呢？虽然我也写过一些类似的文章，但与秀学兄的这篇比起来，简直就相差了十万八千里。看来，这就是人与人之间的差距，不得不承认这一点啊。秀学兄的文笔真不是一般的好，心思不是一般的缜密，看了他写的闹斗、闹蚱蜢、闹鱼、闹寨、闹姑娘，你会觉得字字都是恰到好处的，同时也会被深深地吸引，仿佛身临其境一般。还有那些童谣，他也能够记得那么多、那么清楚，写得那么有意思，让人深思。

秀学兄写到他曾亲历过的神秘的"桃源洞""饿饭鬼"时，说他不想相信这之中有什么鬼神，但其间一些现象无法解释。他所观察到的那些现象也一直困惑着我，我也一直是持他这样的态度。我一直觉得，人还是得谦虚一些，要有一颗敬畏之心，不要太自大，因为在许多自然灾害面前，人类就如小蚂蚁一样渺小、无助。从古至今，有很多至今科学仍无法解释的现象和事情发生，还有很多人类无法知晓的事情已经、正在或者将要发生。

当读到秀学兄写的大山里的各种野果、野菌时，口水不由得快流出来了。那些野果在那个物质匮乏的年代，曾带给我们多少的欢乐和满足啊！有些野果，比如地枇杷、老娃果、牛奶果、三月泡、刺苔等虽然时隔几十年未曾再吃过，但它们那美妙的滋味却一直清晰地留在了脑海中，从没忘记过。我却没有将它们好好地写一写，真是愧对它们。秀学兄的文章让我产生了强烈的共鸣，想起了许多童年的往事，也激发了我的灵感，写了《春芽》《又是桑葚成熟时》等几篇小散文，这就是好文章的价值和作用。

再读到他写的：上述野生植物，不管木本、藤本、草本皆可入药，父亲一生行医行善、救死扶伤，是用这些平凡不起眼的或藤或叶或茎或根组合成一道道神奇有效的偏方挽救不少的生命，让命悬一线的人起死回生，断筋折骨的人重新站起，使经年卧榻的老病号重新走出门庭，走上原野"，我更是感慨不已，对他父亲以及跟他父亲一样的乡村草医心生敬意，他们真是太了不起了！可是，随着生态环境的破坏，有很多名贵的中草药已经找不到了，乡村草医也越来越受到西医药的排挤，不再如之前那样受到重视。一个时代有一个时代的产物和特点，我却一直对那些通过望、闻、问、切的方式为病人看病的老中医师们敬佩有加。

在《故乡的狩野猪》中，秀学兄给我们形象地描绘了一幅幅乡村的自然景观和现在人已无法体验的一些趣事：直到大地收起最后一抹霞光，才踏着朦胧的月光伴随着蟋蟀鸣啾，秋虫唧唧回到牛棚，生起篝火煮饭，有时还到水田里去捉尾鲤鱼，用小木叉叉好放到火上烤着吃，"啵啪"的篝火映着脸庞，把脸庞照得红彤彤的，不时凉风吹拂，捎来林海里的阵阵林涛，使人心惧又亢奋。待到玉兔东出并爬上山峦才吃罢晚饭……清晨起着蓝雾的林梢和路边草丛中的新鲜空气以及大山野特有的泥土芬芳沁人心脾，稻田里晶莹剔透，挂着水珠的稻粒令人赏心悦目。进入晨曦初露，群山便如镶上一层金辉。鸟儿亦开始了它的婉转清丽的鸣叫。

秀学兄所描写的这些乡村景致也是我曾经非常熟悉的，虽然它们已随着时光远去，但却仍藏在记忆的深处，一经点拨，就会清晰再现。真是难忘啊，那些远去的、美丽的回忆。

《壶口之张力》《遥望绥芬河口岸》《日落鼓浪屿》等篇章读后让我仿佛重读了中国的历史，了解了许多之前不知道的东西；《回眸剑河风景》几乎写尽了剑河的古今、风景、风土人情，读完就对剑河有了比较全面的认识；《太拥河的涛声》中，不仅展示了自然风光的秀美，还有风土人情的动人之美，更有着民歌的优美，真的是"太拥河的涛声与歌声相宜映衬，互成谐音，在心灵深处轻轻地敲击，会让你终身难以忘却，能把你带到非常美的意境中去。"

《父亲》一文最是让我感动，读了一遍又一遍，对"父亲"的一生感慨不已，也敬重不已。"父亲有文化懂医道，晓八卦识天文地理，就像一个装有若干宝贝的竹筒，里面的宝贝倒之不尽，每个宝贝一旦倒出来，总能让人惊喜，让人从中受益。在他看来，家乡的高山大岭中各种花草树木皆是入药的至宝，不管春夏还是秋冬，每天收工回家，所到之处遇到可以入药的东西都要采摘回来，实在采不了，便将之藏在脑海里，藏在记忆的深处，一旦遇到患者求医，都能在尽量短的时间里采摘多种药物，最快做出配方，从不耽误患者。"

"医德是行医者的第一要务，他一生恪守此道，总是有求必应，极尽所能，全力施救。父亲一生严谨，他是一个特殊的人物，他除了具备众多的父亲所共同的大爱与无私外，还具备了常人所未有的独特禀赋。他既是一个农民，又是一个知识分子。作为一个农民，含辛茹苦、披星戴月不可避免，难就难在他是一个满腹经纶的农民，有知识分子气息和个性的农民。在知识无用、精神生活极度贫乏的年代，他的知识修养让他时常得到精神的享受和慰藉，并潜移默化地惠及我们，同时也给他乃至整个家庭带来了悲催的厄运，丰富的学识并没有给家庭带来一丁点的物质财富，以至于一度动摇过'知识就是财富''书中自有颜如玉，书中自有黄金屋'等先哲古训的认同。"

读着这些字句，一位高大的父亲形象就立在眼前，让人肃然起敬。"父亲"不但坚强，还总是处处与人为善，还十分大方、大度。对儿子们要求严格，却并不凶神恶煞过，总是和颜悦色，循循善诱，从孩子们小时候就用"艰苦卓绝，玉汝于成"的古话来教育他们，也勉励自己。"父亲"无疾而终，走得干干净净，让人赞许。

《话说塔石香羊》《太拥杨梅》《酸的情结》《棋局人生》《清明节感恩》《垂钓春秋》《脊梁》《精神的楼塔》《凉亭坳上的风景》《圆梦清华》《我的书房》等篇章亦是不可多得的好文章，秀学兄用他锐利、洞察人性的目光，强烈的社会责任感，抒写了乡村留守老人、儿童的生活现状及命运，写了父亲及自己、亲人们坎坷人生的感悟，也写出了基层干部对这个社会群体的同情、悲悯和力图改变现状的济世情怀。

总之，《过往的记忆》一书是一本非常好的散文集，如果要说有什么不足之处的话，就是其中的篇章排序上有些零乱。这也许是文人的通病，我发现许多文友，包括我自己在这方面也做得不好。好在，这并不算太大的毛病。

作者简介：龙艳，女，苗族，1974年生于施秉县双井镇，笔名龙砚、冰凌，从小爱好文学，至今已在《民族文学》《山花》《贵州作家》《读书人》《边城文学》《杉乡文学》《夜郎文学》《黔东作家》《文友》《百花园》《国际日报》《中华原报》《贵州民族报》《贵州都市报》《黔东南日报》等报刊发表小说、散文并多次获奖，入选多种选集。贵州省作家协会会员，黔东南作家协会副主席，凯里市作家协会副主席，飞龙雨文学社副社长。曾担任《未来文学》专栏作家；《杉乡文学》《苗疆文坛》《文笔塔》栏目编辑，《水韵下司》副主编，《全国大学生文学大赛获奖作品选》副主编。

且将旧物说乡愁

——关于杨秀学《村庄旧物》的阅读体验

杨秀喜

这些年来能够令我反复摩挲的书不多，秀学这本《村庄旧物》便是其一。《村庄旧物》不仅写旧物，还写旧俗旧事。无论是写旧物还是写旧俗旧事，都旨在传达或阐释一个共同的主题——乡愁。该书内容驳杂丰赡，以我之鄙陋而欲窥其堂奥，绝非易事！然而既读之则必有所感，既有所感则不发不快。故不揣浅陋，谨在此谈谈个人的阅读感受或曰审美体验。

秀学和我是同时代人，我们同是农家子弟，有着相同的成长背景和遭遇，我们都吃过鼎罐里的锅巴饭，都穿过四林布制成的衣服，都背过刀拎上山砍柴，都有过在八仙桌上接受长者教诲的经历。故而他笔下的旧物、旧俗、旧事很容易唤醒我对乡村生活和童年往事美好温馨的记忆。手攥五分硬币狂奔几十里山路去买油炸粑，为了能吃上一点红糖和甜水而宁愿出痧子，一双解放鞋就是一个遥远的梦想……这些让今天的孩子们如听天书的故事，实实在在刻写在我们这一代人身上。而今回首不禁浮想联翩。

作者何以对这些旧物旧俗旧事情有独钟？这不仅仅是因为他的童年生活与之息息相关，也不仅仅出于怀旧心理或寄托乡愁，更为重要的是他要为故乡保留一份珍贵的文化记忆。或者说，作者的初衷是要以自己的文字为故乡建造一座纸上的博物馆。在工业文明和现代化的侵蚀下，乡村在一天天地萎缩甚至消失，与农耕文明共生的旧物旧俗旧事也随之日渐消逝了。试问八仙桌、苕窖、刀挎、庞桶、蓑衣、焙笼、撮瓢、鼎罐等旧物，今天还有几人记得？手指弯月耳朵就会烂掉、偷看女人解手眼睛就会生雕针、遇蛇交配乃为不吉之兆而须焚香祭祀以攘灾祸、将瓜叶摆在路上供人踩踏则瓜能多结等旧俗旧事，又有几人知晓？而这些旧物旧俗就是乡村文明、乡村传统文化的组成部分，也是乡愁的载体。它们的消失也意味着几千年形成的乡村文化以及乡愁的消失。

在乡土社会里，起屋和婚嫁堪称人生的头等大事，不可草率为之。以起房而论，从择定宅居到乔迁，每个环节都得遵从祖先定下的规矩。如要请地理先生择风水宝地，破土时要祭祀皇天后土和地脉龙神，上梁要撒高粱粑和念诵贺词，乔迁要祭祀祖先英灵以及谢土取水——这些繁文缛节就是传统文化。如今随着乡村的城市化，由钢筋水泥所构筑的砖房取替了以木屋为主的传统民居建筑。随着木屋的渐渐隐退，起屋造房的工艺、习俗和文化也必将失传。我们看到石匠、铁匠、篾匠、桶匠等工匠已销声匿迹，木匠和掌墨师也终有谢幕的时候。当木匠和掌墨师谢幕了，木屋建筑的精湛技艺和文化也终将失传。再以婚嫁论，从谈婚论嫁到结婚成亲，这个过程可谓艰辛漫长而又颇具浪漫色彩，其间也充满着繁文缛节。仅从择偶到提亲就要历经"篮子酒""八字酒""修舅公酒""关亲酒"

等诸多程序。至于"关亲拦门"的礼节则更加繁复和隆盛。每一步都是对男方迎亲者智慧和才情的考验,迎亲者须经重重考验方能将新人迎回去。迎亲无异于"历险",任何一个环节出问题就会功亏一篑。现代社会的青年男女从相识到结婚,不用看八字,无须请媒人,不必订婚,更不再有"关亲拦门"的琐碎与烦劳。如是,与之相关的一整套婚俗文化也荡然无存。关门拦亲、哭嫁,打花脸这些有着丰富文化内涵的仪式和场景将成为遥远的传说。《起屋上梁》和《迎亲队伍》不惮其烦地将起屋上梁和婚姻嫁娶的民间礼俗全程记录和详尽描述出来,完好地为故乡保存了一份不可多得的文化记忆。换言之,作者以文字的形式将被岁月剥蚀而日渐残损的乡村文化进行抢救和修复。乡村文化、故乡风物因作者生动的文字而复活。浏览着这些生动的文字,我们仿佛走进一座陈列着故乡非物质文化遗产的博物馆。此外,如《舌尖上的记忆》《年味与物事三则》等篇什连篇累牍地介绍家乡的风味美食,其意也在于为客居异乡的游子保存一份乡愁。对于漂泊异乡的游子而言,最能勾起他们乡愁的莫过于故乡的美食。西晋时在洛阳做官的张季鹰因愁风乍起,想起了故乡的莼菜鲈鱼而辞官回家,足以说明故乡美食的魔力。马金莲获鲁奖的小说《1987年的浆水和酸菜》难道不是以"浆水"和"酸菜"来传达乡愁吗?随着城市化的大规模推进,我们看到乡村不同程度地被城市同化,乡村的旧物旧俗已零落殆尽,随着乡村文明日益被城市文明所蚕食,乡愁也势必被淡化。如何将濒于消失的乡村文明存留下来?如何让后人记住乡愁?读读《村庄旧物》,我们会得到诸多有益的启示。

　　一个成熟的作家往往形成自己独特的言说方式和叙述风格,其文也因此具有鲜明的文体特征。在我看来,行文上的纵横捭阖、不拘格套是《村庄旧物》最为突出的文体特征之一。作者无论写物叙事都不拘于一物一事。写物则以某一物作为中心意象，然后围绕这一中心意象展开联想与想象，由此物想到彼物，逐层拓展。《火边记事》开篇以时下红火的农家乐为由头，引入火边这个中心意象。接着对火边的设置、功用进行阐释。然后将与火边所有相关物事一并纳入笔端：火边上方的炕及炕上之物、火边周遭的鼎罐、油盐罐、火筒棒、火钳、锅桥、撮瓢。每一物的背后都有一个或辛酸或温馨的故事，如地主悬岩盐于炕上以作炫耀之资，寒门悬挂腊肉以作解馋之用，孩子们用鼎罐烘焙香喷喷的锅巴，丈夫被智障妻子所惊而失手摔破油罐，孩童藏米于撮瓢而被大人误解等。这样，作为中心意象之物犹如掷入水中的石块，与之相关的物事犹如被石块激起而层层荡开的涟漪。《永不熄灭的灯火》以灯火为中心，从盗火的普罗米修斯、逐日的夸父、钻木取火的燧人氏写到发明电灯的爱迪生，以充分的事实说明人类的历史就是追逐光明的历史——这是纵向延展。同时又集中笔墨于家乡各种各样的灯火——草芯灯、荧光灯、葵花槁、枞树槁、煤油火、马灯。每一种灯火都有不凡的来历，都刻写着不同历史时段的印痕，都蕴藏着一段难以忘怀的故事，都凝聚着作者的一腔深情。手持葵花槁穿山越岭到外村看电影的情景、一家人在松明下（铁丝架上燃烧的枞树槁）各自忙碌的身影、在以墨水瓶制成的煤油灯下读书的画面等，无不温馨动人——这是横向铺开。其文纵横交错，古今贯通，尽显汪洋之势。不仅如此，还由灯火写到火柴、打火机、电池、收音机、邓丽君，可谓思接千载，视通万里。在《工分簿》中，无意间翻出的霉迹斑斑的工分簿激活了我的记忆，多少往事由此联翩而来：吃食堂、大锅饭、"大跃进"、放卫星、共产风、合作社、人民公社、生产队、超英赶美、朝鲜战争、大炼钢铁，深耕、三年自然灾害、中苏闹翻……小小的工分簿演绎着乡村社会几十年的历史变迁，也折射出新中国发展的曲折历程。

最值得称道的是，秀学写旧物旧事并非一味沉醉于陈年的旧梦而乐此不疲。相反，他对当今社会的现实有清醒的认识。流连于过去，却不忘观照现实，既能发思古之幽情，又能洞悉时弊而予以针砭。乡村社会是熟人社会，也是人情社会，特别看重人情往来和人际关系。请客送礼就是维系人际关系的保障。"客随主便"作为一条不成文的礼俗，一直被乡村社会所遵从。然而这一传统礼俗在今天已被彻底改写。请客在今天已然变味，已不是正常的人情往来所需，而是与利益攸关。作者感念过去请客的纯粹，又痛心现在请客的变味："现在完全变了，感恩致谢的主客体错位，不是客人感谢主人的盛情款待，而是主人向客人行致敬礼，感谢客人捧场给面子。"（《客随主便》）本来走亲访友只为着联络感情、增加友谊，维系与巩固正常的人伦关系。而当下时兴的姑妈回家在作者看来就是一场滑稽的表演："几个数十数百姑妈们，穿着花枝招展的服饰，挑着鸡鸭鱼肉，一起同回娘家走客，浩浩荡荡，鞭炮齐鸣，笙鼓喧夭，长桌宴次第摆开，其势倒也磅礴，其形倒也壮观，但总觉得缺了点什么，总觉得像是一种表演。"（《走亲访友》）如前所述，在乡村社会中，一对青年男女从相爱到结婚要经过很多程序和仪式。结婚事大，而离婚更不可等闲而视，不是万般无奈是不会离婚的。而现代社会的人们则视离婚如儿戏。难道山盟海誓、白头偕老只属于远去的时代？现代人对婚姻的草率令作者忍不住要微讽之："现在的年轻人，城市人，视离婚如儿戏，有的甚至当作一种时髦，三言不合，两语不对，就相约民政部门或对簿公堂，往昔旧情，花前月下的山盟海誓，统统潇洒自如地抛之脑后。"（《迎亲队伍》）稻草人于人类不求回报而日夜守护着庄稼，这种无私奉献的精神令作者感慨："联想到时下，忙时需要帮衬援手，有的互相索取酬资，斤斤计较，睚眦必究，就对无私的稻草人多了一分敬意。"对现实乱象的微讽或痛斥，体现了作者深切的现实关怀和强烈的忧患意识。正是这种强烈的现实关怀和忧患意识使作者对当下现实保持高度的警觉。又因为这份警觉，他对社会现象和客观事物每有独特的感悟和深刻的洞见。他常常发现平凡事物的不平凡，对为人所漠视的社会现象有独到的见解。我们读他的文章每被其中的精辟之语所折服。他说："火边，是村庄跳运的历史脉搏，是人间烟火最生动的图景""乡村历史是在火边书写的"（《火边记事》）；他说："八仙桌是我们别开生面的课堂，是家庭、家族、村庄的道德大讲堂。"（《八仙桌——生动的课堂》）；他说"契约，如一束束璀璨的稻耕文明之光，照亮着山村的大地，照亮着山村历史的过去、现在和未来。"（《不朽的契约》）；他说："纵观历史上的历次揭竿起义，无一不是在土地上做文章，人类无休无止的战争，归根到底都是为了争夺土地。人类的进化史、发展史、文明史实际上也是土地的争夺历史。"（《皇粮国税》）这些真知灼见犹如穿透重重迷雾的光芒，使人豁然开朗，文章的思想境界每因这些精辟之论而得到极大的升华。

最后要说的是，读毕《村庄旧物》，我惊叹于秀学对乡村山川风物、人情百态、民间习俗、鸟兽虫鱼的谙熟，诸如乡党应酬要遵从什么规矩，上梁有什么禁忌、遇蛇交配怎样消灾禳祸、胆肝如何制作和食用、新娘何以要跨过燃得通红的火盆、"到寨蒿挑盐去了"寓意什么，不一而足；我更惊叹于他丰厚的知识储备，琴棋书画、阴阳风水，巫术医道、俚语笑话、历史传说、儒道佛、诗文典故等，他都广泛涉猎。既谙熟写作对象，又有丰富的知识储备，使得他在为文时总能信手拈来，涉笔成趣。写物叙事总能随意道出其来龙去脉，以及与之相关的诗文典故和奇闻轶事。在我看来，正是丰富的乡村生活经验与广博的知识学养，成就了秀学的写作事业。

作者简介：杨秀喜，生于 1962 年 12 月，贵州榕江一中语文教师。迄今在《写作》《阅读与写作》《名作欣赏》《读写月报》《杂文报》《教师报》《风雨桥》《贵州教育报》《贵州政协报》《辽河》《杉乡文学》《苗岭》《遵义文艺》《小说月刊》《小小说大世界》《微型小说选刊》等刊物发表过文论、小说、散文数十篇。

读秀学兄大著二章

冯拥义

题字赠书雁远翔，飞来关岭赏华章。
不因宦海困诗酒，只把冰杯萦梓桑。
过往还从心上记，村庄莫要眼中伤。
同窗潇洒传名久，我愿躬耕小砚芳。

我愿躬耕小砚芳，杨兄厚道著文章。
花溪水碧还知否？董堰荷开尚忆香。
多少英雄成故事，无情岁月总彷徨。
新诗寄以高君去，敢把痴心同浪荡。

获书，爱不释手，粗览，甚喜。草诗二章，以记欣喜陋怀，以致谢意。若有同窗诸兄惠览，一并谢谢！

作者简介：冯拥义，生于 1963 年 12 月，男，黎族。1987 年

7月毕业于贵州民族学院中文系。关岭民族高级中学从事高中语文教学。业余从事书法，诗词研习及创作，公开出版有《文轩诗联赋选》《文轩散文选》。尚有《文轩病中杂吟五集》待梓。系中华诗词学会会员、贵州诗联学会会员、安顺诗联学习会员。担任关岭诗联学会副会长并会刊《索岭诗草》主编。

一言一语总关情
——贺三哥杨秀学散文集出版

杨秀标

闻兄作文已版出，书山文海有一隅。

佳音传来心甚喜，为弟抒发感慨情。

翻阅家谱悉祖辈，代代贫寒为白丁。

乃父深知白丁苦，忍饥送儿上学门。

沧海桑田事难料，人生沉浮古往今。

兄长不负众亲望，寒窗苦读成文人。

甘把学成献故土，一腔热血报国民。

才华凝结成书本，蜂拥百花蜜酿成。

人生漫长亦短暂，价值留予世人评。

不见罗贯中身影，三国留下英雄名。

天罡地煞垂青史，施耐庵名伴君行。

承恩挥笔神灵献，战天斗地示古今。

又看他年喝粥者，一部红楼泣后人。

张继当时未上榜，枫桥夜泊千古吟。

将书传与后读者，多半皆非将相门。

百年人生难登满，功名利禄化灰尘。

滚滚红尘湮黄土，一轮皓月当空明。

世间攘攘皆名利，一颗超然世外心。

燕舞琼池他人醉，犹如昙花心自明。

天生傲骨传秉性，俯首甘拜陶渊明。

安贫乐道劳心苦，天道酬勤书籍成。

百年之后人犹在，一言一语总关情。

流芳百世传万口，此乃才是真功名。

作者简介：杨秀标，堂弟，出生于二十世纪七十年代初。民间歌手，喜读书爱文字，善句对。曾获剑河山歌大赛第二名。

读秀学兄《我的书房》应约赋歌行一章

冯拥义

夜深人静电波传，同窗嘱我草诗篇。
我的书房刊大典，锦绣文章壮心丹。
坎壤奔波五十几，宦海忠贞举青帆。
筑成凤巢盈书卷，赤心永向太阳旋。
世路埼岖回斋里，清茶漫品赏书笺。
家无珠玉添妻寿，室有诗书课子贤。
夜里银灯陪苦读，古今华卷润心田。
万卷文章读不倦，一方老砚墨色鲜。
　从来忠孝传家远，自古缥缃继世绵！
家在农村躬耕苦，父母培育出关山。
执政为民遵法纪，读书律己效清官。
莫求今生大富贵，唯期艺海染青丹。
计利当计天下利，追名要学古先贤。
文章千古当执着，流水高山情义坚。

万贯家资莫艳羡，夜眠不过三尺三。

唯有丹青垂万载，遗爱长存斗星悬。

与尔狂歌君莫笑，共谱华章警黎元。

何日迎君来索岭，笑看红霞映雄关。

绞尽脑汁只能写这样子了，见笑，仅供参考！

自序

杨秀学

序，起于何时，本人无意考证。大学时上古典文学课，得知有《毛诗序》，这是汉朝人为《诗经》每首诗作的小序，序古已有之。诗有序，文有序，书亦有序。

一本书、一册手札，往往都有序与跋。跋即跋言，现称之为后记，多为著者自述写作的立意、经过。序，亦称叙、前言、引、题记等。跋为自序居多，序则既自序亦有他序，他序多为读后感受、点评，较真的既推且敲，施以恰如其分的评说，敷衍的则"顾左右而言他"。亦有作者运用于某一篇什（首），或者某一楼塔落成，或一碑文题刻。无论前言或后记，都是一部作品不可或缺的组成部分，犹如一质地上乘的特产加上外包装粉饰，定会完美许多，增色不少。

一部作品若无序，那是不完整的，如一首歌没有序曲，这首歌便有几许逊色了。一出剧的序幕徐徐撩开，那个时刻是颇激动人心的，歌曲过门的旋律如丛林清泉淌入听众干渴的心田，那感觉

211

是极其美妙的，同样，一本著作有一篇好的序文，既是锦上添花的美事，还可引人入胜。最让我铭记的序有陶渊明的《桃花源记》和王勃的《滕王阁序》，陶潜的乌托邦惊艳了人类美好生活需要的魂灵，王勃的一路山川画图激活了世人的大美愿景。武陵源、腾王阁名声因之鹊起，因诗而序，序却盛名于诗。岳阳楼因范仲淹的题记，永远矗立历史长河岸边。因之，作品出炉面世前，作者便费尽心思琢磨序这篇文章。

要达到效果的最大化，当然是内业名家大咖操刀了，有名家登场泼墨题字，有大咖捉刀为之作序，含金量肯定会骤然飙升，盛名之下利好无限。其实这都很正常。但诸般尴尬随之而至。首先是大咖们的尴尬，文学界像一座金字塔，越往上越小，到顶端更如亮晃晃的明珠高悬，芸芸众生都期冀大师名家能纡尊降贵，惠赐墨宝，可是问题来了，如果把序喻为特殊商品，这里就出现了一个突出的供需矛盾，供不应求，大家们应接不暇，供方市场的无奈只有自己知道。有位名家写过敲门的文章，厌恶之情溢于言表，言之不惧小偷，但惧偷时间的人，索序者应该在列。其二，读者的尴尬，有时，当我们的眼球被世俗的力量转动到一个闪光般的名字前停下，拜读其序，却味同嚼蜡。这类序文如同鸡肋，食之无味，弃之可惜。勉为其难，敷衍了事，要么居高临下训示几句，要么根本没有通读全文，说几句不着边际的语言，要么不知所云，要么离题百里，等等。但世俗驱动，人们还是趋之若鹜，文不打紧，要的是名家效应。其三，作者的尴尬，有拒之门外的郁闷，有冷水淋下的失落，也有傲慢视线下的卑微以及次生的酸涩。其四，请执杖者捉刀，当然大多数不是本人亲自操刀，而是作者、编者写好后署上某某大名。前些年江西南昌刮起铲字风，原因是身居要津的某某喜欢到处题字，后东窗事发，昔日冒着清香的墨宝顿时蜕变为恶臭的腐迹，昔日笔走龙蛇瞬间仿佛魔咒，昔日的围观鉴赏者噤若寒蝉，纷纷规避。友人馈赠书籍两册，打开扉页，一个熠熠生辉的名字跃入眼帘，后该君入瓮秦城，那书也就黯然失色了。请大腕名家写序作跋，这里有个踩着巨人肩膀前行的初心良愿，尽管大多数是一厢情愿的，也大可不必妄加菲薄，人性而已。

2015年，因公务前往上海，曾在上海大学附近购得《鲁迅散文》一册，前些天翻阅，里面收录的散文几乎全是序、题记、附记等，有为他人序题的，但多为自序文，覆盖了他几乎所有的作品。数夜披衣捧阅，深为震撼，有的序洋洋数千言，有的则寥寥数百字，有的依旧如投枪匕首，酣畅淋漓。明朝有解缙的对联故事，其中有联"二猿断木深山中，小猴子也敢对锯"。一个时代的巨人，他可为他人作品写序，又有谁不自量力来班门弄斧对句呢。初中课本《纪念刘和珍君》，脸上总是写满笑容的花季少女刘和珍被军阀邪恶的子弹击毙，《为了忘却的记念》，"左联"青年作家柔石、白莽等被军阀逮捕后莫须有地被枪杀，我想这也是鲁迅为这些志士仁人所作的大序吧。

鲁迅、梁实秋，近代文学史上的"宿敌"，因三观殊途而一度骂战。两个才高八斗的文豪，个性迥异，形同水火。两人截然不同的风格的作品，尤其是散文杂文均为窃所爱，鲁迅的爱憎分明、笔锋犀利、直抒胸臆，梁实秋的娓娓道来、幽默风趣、坦然闲适，"一个终生与现实苦斗而身心疲惫，一个与现实保持距离而洁身自爱"。鲁迅的百草园和三味书屋、雷峰塔、友邦惊诧、拿来主义、直面惨淡人生等的雄文，还有"两地书"中情感守望的真实世界，时常地漏夜捧读，酣畅淋漓地分享其爱恨情仇。鲁迅在《且介亭杂文》序中写道："我只是在深夜里摆着一个地摊，所有的无非几个小钉，几个瓦碟，但也希望，并且相信有些人会从中寻出合于他的用处的东西。"梁实秋花费了近四十载翻译的至今无人能出其右的莎士比亚全集，他的由随想篇、修养篇、饮食篇、忆旧篇组合的《雅舍小品》常读常新。有时读一些文章，辞藻华丽，佶屈聱牙，生词僻字叠加，解读其意很是费劲，每读此类文章，白发便兀自蓬勃。而梁的小品文易懂、悦目，有人言他小品文在文学史上的地位超越翻译的《莎士比亚全集》。

于是乎为文，有时想尝试直面人生的惬意，做一个"深夜里摆地摊"的人，有时又想到雅舍去聆听细雨敲窗的声音。就如，豪饮一场了，自然就想去静处品茗一番，尘世的喧嚣分贝升高了，自然就想去一隅净土，做一个闲适的散人，顺便听一听虫子松土的声息。天命向耳顺之年跨越，这是一个因循天道、归元守正的人生时段，尤需要这样的心序调整。

《品茶》乃近几年的心路历程，品世间百味。友人忠言，白纸黑字出炉尤需慎重，切莫因文罹祸，因之再三斟酌，将一些篇什束之高阁，两难确实是一种别样的无奈。

东施效颦也好，邯郸学步也罢，尽管是以笑话的形式出现的，然无论结果如何，其初心绝对是好的，只是追逐的手法各异而已，良好的初衷，或许能兑冲笑料的成分。

辛丑年六月六日，编讫并序。